La hija del Rey del País de los Elfos

◆ COLECCIÓN CULTURA ◆

Lord Dunsany

La hija del rey del País de los Elfos

Traducción
RUBÉN MASERA

Presentación
FRANCESC LL. CARDONA
Doctor en Historia y Catedrático

EDICOMUNICACION, S.A.

Título del original en inglés:
The King of Elfland's Daughter

© Edicomunicación, s. a., 2001

Diseño de cubierta: Quality Design

Edita: Edicomunicación, s. a.
           C/. de las Torres, 75.
           08042 Barcelona (España)
           E-mail: edicomunicación@jpcnet.com
           http://www.edicomunicación.com

Impreso en España / Printed in Spain

I.S.B.N: 84-8461-022-5
Depósito Legal: B-10575-2001

Impreso en:
CARVIGRAF
C/. Cot, 31
08291 Ripollet (Barcelona)

ESTUDIO PRELIMINAR

Lord Dunsany: el hombre y su mundo

Edward John Moreton Drax Plunkett (1878—1957), decimoctavo barón Dunsany, noble angloirlandés de la más rancia estirpe, es quizás el máximo exponente de la literatura fantás—tica. En su voluminosa producción hay dos vertientes definidas el teatro y la narración. Como dramaturgo participó, junto a W B. Yeats y J. M. Synge, en el desarrollo inicial del Teatro de la Abadía de Dublín, siendo su pieza inicial *The Glitterin Gate* (1909), en la que narraba la historia de dos ladrones que intentan ingresar al cielo. Como narrador, las colecciones de cuentos y novelas donde combina elementos míticos con el fértil folklore irlandés son interminables *The Gods of Pegana* (1905), su primer obra, pasando por *Time and Gods* (1906); *La espada de Welleran* (1908); *Cuentos de un soñador* (1910); *Don Rodrigo* (1922); *La hija del Rey del País de los Elfos* (1924), considerada su mejor novela; hasta *The Last Revolution* (1953), donde incursiona en un tema afín a la ciencia—ficción.

Análisis de la obra *La hija del Rey del País de los Elfos*

La hija del Rey del País de los Elfos es la historia de los hombres de Erl. Tan sólo mortales, desearon tener un Señor mágico y enviaron al Príncipe Alveric, armado con su mágica espada, a cruzar la linde mítica que separa los «campos que conocemos» del País de los Elfos, allí donde el tiempo y las crueldades del tiempo son desconocidos. Alveric retorna con la hija del rey, la princesa Lirazel, quien le dará un hijo, Orión, destinado a crecer entre dos mundos irreconciliables y a cazar unicornios y a...

Así Lord Dunsany nos sumerge en ese mundo maravilloso que se extiende más allá de la linde de los campos que conocemos y que conduce en forma directa al niño que yace sepulto en todos nosotros. Excepcional cuentista, *La hija del Rey del País de los Elfos* es sin dudas su mejor novela, aquélla que revela las constancias de su obra: la belleza que aflora de una simple mata de hierba, el sutil límite que nos separa del universo mágico y, sobre todo, el juego delicado y casi sensual del lenguaje, que adquiere aquí el papel protagónico central.

Y llegará un momento en el que abandonemos la lectura y, al contemplar el ambiente una vez familiar, advertiremos que ya no estamos en los campos que conocemos, detenidos en un éxtasis eterno, eterno como el País de los Elfos.

LA HIJA DEL REY
DEL PAÍS DE LOS ELFOS

PREFACIO

Espero que la alusión a un país extraño contenida en el título de este libro no aleje al lector; porque si bien algunos capítulos por cierto se refieren al País de los Elfos, en la mayor parte de ellos no se muestra sino la faz de los campos que conocemos, de los bosques ordinarios de Inglaterra, de un valle y una aldea corrientes, situados a unas buenas veinte o veinticinco millas de la linde del País de los Elfos.

Dunsany

Capítulo I

EL PLAN DEL PARLAMENTO DE ERL

En sus rojizas chaquetas de cuero, que les llegaban a las rodillas, los hombres de Erl se presentaron ante su señor, el augusto hombre de pelo cano en lo profundo de su estancia roja inclinado en la silla tallada, escuchó lo que el portavoz tenía que decir.

Y así habló el portavoz:

—Durante setecientos años los jefes, de vuestra raza nos han gobernado bien; y sus hazañas quedaron registradas por los trovadores menores, que viven todavía de sus cancioncillas tintineantes. Pero las generaciones se suceden y nada hay de nuevo.

—¿Qué queréis? —preguntó el señor.

—Queremos ser gobernados por un señor dotado de magia —dijeron.

—Así sea —dijo el señor—. Quinientos años han transcurrido desde que mi pueblo habla de este modo en parlamento, y siempre será lo que vuestro parlamento diga. Habéis hablado. Así sea.

Y levantó la mano y los bendijo, y ellos partieron.

Volvieron a sus antiguas tareas, a ajustar la herradura al casco de los caballos, a trabajar el cuero, a cuidar las flores, a satisfacer las duras necesidades de la tierra; seguían antiguos usos y estaban a la busca de algo nuevo. Pero el viejo señor envió un mensaje a su hijo mayor rogándole que fuera a su presencia.

Y sin demora el joven se presentó ante él, en esa misma silla tallada de la que no se había movido, donde la luz, ya avanzada la tarde, entraba desde las altas ventanas y mostraba los ojos envejecidos que miraban el futuro a lo lejos, más allá del tiempo del viejo señor. Y allí sentado, le dio al hijo su mandato.

—Ve —le dijo— antes de que estos mis días lleguen a su fin y, por tanto, ve de prisa desde aquí hacia el este, más allá de los campos que conocemos, hasta que veas las tierras que con toda evidencia pertenecen a las hadas; y cruza su linde, que está hecha de crepúsculo, y dirígete al palacio del que sólo puede hablarse en canto.

—Es lejos de aquí —dijo el joven Alveric.

—Sí —respondió él—, es lejos.

—¿Qué mandáis que haga —preguntó el hijo— al llegar a ese palacio?

Y su padre dijo:

—Que te cases con la hija del Rey del País de los Elfos.

El hijo pensó en su belleza y en la corona de hielo que llevaba, en la dulzura que las runas fabulosas le atribulan. Cantos se le cantaban en las colinas salvajes donde crecen minúsculas fresas, y si se buscaba al cantor, no era posible encontrarlo. A veces sólo su nombre se cantaba gentilmente, una y otra vez. Su nombre era Lirazel.

Era una princesa de linaje, fabuloso. Los dioses habían enviado a sus sombras a su bautismo, y también las hadas habrían asistido, pero se asustaron al ver en sus campos cubiertos de rocío a las largas sombras oscuras de los dioses que avanzaban, de modo que se quedaran escondidas juntas en las pálidas anémonas rosadas, y desde allí bendijeron a Lirazel.

—Mi pueblo exige que lo gobierne un señor dotado de magia. Han adoptado una decisión necia —dijo el viejo señor—, y sólo los Oscuros que no muestran su cara conocen cuáles serán las consecuencias; pero nosotros, que no vemos, seguimos la antigua costumbre y hacemos lo que dice nuestro pueblo en el parlamento. Puede que algún espíritu sabio que ellos no conocen los salve todavía. Ve con la cara vuelta hacia esa luz que llega del país de las hadas y que débilmente ilumina el crepúsculo desde la caída de la tarde y las primeras estrellas, y ella te guiará hasta que llegues a la frontera y hayas dejado atrás los campos que conocemos.

Luego se desprendió una correa y una faja de cuero y le dio al hijo su enorme espada, diciéndole:

—Esto, que nos viene de familia a través de las edades hasta el día de hoy, te protegerá por cierto siempre en tu viaje, aun, cuando vayas más allá de los campos que conocemos.

Y el joven la recibió, aunque sabía que semejante espada de nada le valdría.

Cerca del Castillo de Erl vivía una bruja solitaria en un terreno elevado no lejos del trueno, que merodeaba en verano por las colinas. Allí vivía sola en una estrecha cabaña de paja, y rondaba sin compañía alguna en busca de piedras de rayo. Con éstas, que ninguna fuerza terrestre había forjado, podían fabricarse, con la ayuda de las runas adecuadas, armas capaces de desviar peligros de otro mundo.

Y sola merodeaba esta bruja en ciertos momentos de la primavera, adoptando la forma de una joven bella que canta entre las altas flores de los jardines de Erl. Iba a la hora en que las esfinges pasan por primera vez de campana en campana. Y entre los pocos que la habían visto, se contaba este hijo del Señor de Erl. Y aunque era una calamidad amarla, aunque hacerlo apartaba los pensamientos de los hombres de toda cosa verdadera, la belleza de la forma que no le pertenecía atrajo la mirada del joven que la contempló con los profundos ojos de su juventud hasta que —si la movió la piedad o el halago ¿qué mortal lo sabe?— perdonó a aquél cuyas artes podían haber destruido y, transformándose instantáneamente allí, en aquel jardín se le reveló en su verdadera forma de bruja espantable. Y aun entonces sus ojos por un instante no la abandonaron y en los momentos en que su mirada se demoró todavía en esa forma marchita que ronda la malva real, ganó la gratitud que no puede comprarse, ni ganarse con encantamientos que los cristianos conozcan. Y ella le había hecho señas y él la había seguido, y supo por ella en su colina frecuentada por el trueno que en el día de necesidad una espada podría forjarse con metales no nacidos de la Tierra y runas que desviarían por cierto cualquier estocada de espada terrestre y, con la excepción de tres runas dominantes, desbaratarían las armas del País de los Elfos.

Al coger la espada de su padre, el joven recordó a la bruja.

Apenas había oscurecido en el valle cuando abandonó el Castillo de Erl, y tan de prisa ascendió la colina de la bruja, que una desmayada luz se demoraba todavía en los brezales más altos cuando se acercó a la cabaña de aquella que buscaba, y la encontró quemando huesos en una hoguera al descampado. Le dijo entonces que el día de su necesidad había llegado. Y ella le pidió que buscara piedras de rayo en él huerto, en la blanda tierra bajo las coles.

Y allí, con ojos que a cada instante veían más turbio y dedos que se acostumbraban a la curiosa superficie de las piedras de rayo, encontró antes de que la oscuridad se cerrara sobre él, diecisiete; y las guardó en un pañuelo de seda y se las llevó a la bruja.

Sobre la hierba, junto a ella, puso esos forasteros de la Tierra. Desde maravillosos espacios llegaban al huerto mágico, apartados por el trueno de un camino que nosotros no podemos recorrer; y aunque de por sí no contenían magia, se adaptaban a cargar la que las runas podían conceder. Ella dejó a un lado el fémur de un materialista, y se volvió sobre esos vagabundos tormentosos. Los dispuso en una línea recta junto a la hoguera. Y sobre ellos dispersó los leños ardientes y los rescoldos, alisándolos con el bastón de ébano que es el cetro de las brujas, hasta que hubo sepultado profundamente esos diecisiete primos de la Tierra que nos habían visitado desde su hogar etéreo. Retrocedió un paso de la hoguera, extendió las manos y de pronto la echó a volar con una runa terrible. Las llamas se elevaron con asombro, y lo que no había sido sino un fuego solitario en la noche, con no más misterio que el que exhiben fuegos semejantes, flameó repentinamente para convertirse en algo que los peregrinos temen.

Mientras las llamaradas verdes, aguijoneadas por las runas, se alzaban y el calor del fuego se iba haciendo más intenso, ella retrocedía más y más, y recitaba las runas algo más alto cuanto más se alejaba del fuego. Le ordenó a Alveric que apilara leños, unos oscuros leños de roble que se destacaban en el brezal; y en seguida, cuando los dejó caer, el calor los abrasó; y la bruja siguió pronunciando las runas cada vez más alto, y las llamas danzaban verdes y frenéticas; y allí, entre los rescoldos, los diecisiete viajeros cuyo camino había cruzado el de la Tierra cuando erraban libres, conocieron otra vez un calor tan grande como el que habían conocido en el viaje desesperado que los había traído donde ahora se encontraban. Y cuando Alveric no pudo acercarse más al fuego y la bruja se encontraba a algunas yardas de él vociferando las runas, las llamas mágicas consumieron todas las cenizas y, el portento que resplandecía en la colina cesó dejando sólo un círculo que brillaba opacado sobre el terreno, como el estanque maligno que refulge donde la termita ha hecho explosión. Y plana en el resplandor, enteramente líquida todavía, yacía la espada.

La bruja se le aproximó y rebajó poco a poco sus bordes con una espada que extrajo de junto a su muslo. Luego se le sentó al lado en tierra y le cantó mientras iba enfriándose. No como las runas que irritaban a las llamas era el canto que cantaba a la espada: aquélla cuyas maldiciones habían hecho volar, el fuego hasta consumir grandes leños de roble, entonaba ahora una melodía como el viento de verano que sopla desde boscosos jardines silvestres que ningún jardinero cultiva, por valles otrora amados por los niños, perdidos ahora salvo, en sueños; una canción de recuerdos tales como los que asoman y se esconden a lo largo de los bordes del olvido, era la imagen dorada de bellos años pasados, era la veloz partida otra vez de la memoria que deja sólo en la mente la más ligera huella de piececitos brillantes que confusamente percibida llamamos nostalgia. Cantaba de viejos mediodías de estío en tiempos de las campánulas; cantaba en ese alto brezal oscuro un canto que parecía tan lleno de amaneceres y tardes con todo su rocío conservado por el arte de su magia de días por lo demás perdidos, que Alveric se preguntaba, si cada alita errante que su fuego había atraído del crepúsculo no sería el fantasma de un día perdido para el hombre, evocado por la fuerza de su canción desde tiempos que habían sido más bellos. Y durante todo ese tiempo, el metal que no era de este mundo, iba endureciéndose. El líquido blanco se puso rígido y enrojeció. El resplandor del rojo menguó. Mientras iba enfriándose se estrechaba: las pequeñas partículas se unían, las pequeñas hendiduras se cerraban; y al cerrarse atrapaban el aire alrededor de sí y, con el aire, la runa de la bruja, y se apoderaban de ella y la asían para siempre. Y de ese modo se convirtió en una espada mágica. Escasa es la magia que hay en los bosques ingleses, desde el tiempo de las anémonas hasta la caída de las hojas, que no estuviera en la espada. Y escasa es la magia que hay en los bajos australes, que sólo las ovejas recorren y los tranquilos pastores, que no estuviera también. Y había el olor del tomillo en ella y la hermosura de la lila; el coro de los pájaros que cantan antes del amanecer en abril y el profundo esplendor de los rododendros; la flexibilidad y la risa de los arroyos y millas y millas de primaveras. Y cuando la espada estuvo negra, la magia la penetraba por completo.

Nadie puede deciros de esa espada todo lo que puede decirse de ella; porque los que conocen los senderos del espacio por los que sus metales una vez flotaron, hasta que la Tierra los fue atrapando uno a uno mientras navegaba por su órbita, no tienen tiempo que perder en cosas tales como la magia y, por tanto no pueden deciros cómo fue hecha la espada; y los que saben de dónde viene la poesía y la necesidad de canto que tiene el hombre o alguna de las cincuenta ramas de la magia, no tiene tiempo que perder en cosas tales como la ciencia y, por tanto, no pueden deciros de dónde vienen sus ingredientes. Baste saber que estuvo otrora allende la linde de nuestra Tierra y que se encontraba ahora entre nuestras piedras; que no difirió otrora de esas mismas piedras y que tenía algo ahora en ella como lo que tiene la música suave; que la definan los que puedan hacerlo.

Y entonces la bruja cogió la hoja negra por la empuñadura, que era gruesa y redondeada por un lado, porque había abierto un hoyo en el suelo bajo la empuñadura con este propósito, y empezó a afilar ambos lados de la espada frotándolos con una curiosa piedra verdosa, cantando todavía sobre la espada una misteriosa canción.

Alveric la observaba en silencio, maravillado, sin calcular el tiempo transcurrido; pudo haber sido un instante, pudo haber durado lo que las estrellas en sus recorridos lejanos. De pronto, había acabado. Se puso en pie con la espada tendida sobre las manos. Se la entregó con sencillez a Alveric; él la cogió, ella se apartó de su lado; había una expresión en su mirada como si hubiera querido conservar la espada o hubiera querido conservar a Alveric. Éste quiso agradecerle, pero ella ya se había ido.

Golpeó la puerta de la casa oscura; llamó:

—¡Bruja, bruja! —por todo el brezal solitario, hasta que los niños de las granjas lejanas lo oyeron y quedaron aterrados. Volvió entonces a su casa, y eso fue lo mejor para él.

Capítulo II

ALVERIC AVISTA LAS MONTAÑAS FEÉRICAS

A la estancia amplia, austeramente amueblada, situada alta en una torre, donde dormía, llegó directamente un rayo del sol que amanecía. Él despertó y recordó en seguida la espada mágica que llenó de alegría su despertar. Es natural sentir complacencia al pensar en un regalo reciente, pero había también cierta alegría en la espada misma, que quizá podía comunicarse con los pensamientos de Alveric tanto con más facilidad por cuanto ambos venían del país de los sueños, que era la patria de la espada; pero, como fuere, todos los que se han hecho de una espada mágica siempre han sentido esa alegría mientras es todavía nueva, de manera clara e inconfundible.

No tenía a quien decir adiós, y le pareció mejor obedecer sin dilación la orden de su padre que quedarse a explicar por qué emprendía su aventura con una espada que él consideraba, superior a la que su padre amaba. De modo que no se quedó siquiera para comer, sino que puso alimentos en un morral y se colgó de una correa un cántaro de magnífico cuero nuevo que no quiso llenar, pues sabía que encontraría arroyos en su camino, y llevando la espada de su padre como corrientemente se llevan las espadas, se colgó la otra a las espaldas con su ruda empuñadura atada cerca del hombro, y se alejó a grandes pasos del castillo y del valle de Erl. Dinero, llevó muy poco, medio puñado de cobre solamente, para utilizar en los campos que conocemos; porque ignoraba qué moneda o qué manera de intercambio se utilizaba al otro lado de la linde del crepúsculo.

Ahora bien, el Valle de Erl queda muy cerca de la linde más allá de la cual no hay nada que se asemeje a los campos que conocemos. Subió la colina, anduvo por los campos y atravesó los bosques de avellanos; y el cielo azul brillaba sobre él alegremente mientras avanzaba por la senda de los campos, y el azul resplandecía a sus pies al llegar a los bosques, pues

era la estación de las campánulas. Comió y llenó su cántaro
de agua; y viajó todo el día hacia el este; al caer la tarde, divisó
flotantes las montañas del País de las Hadas, del color de
pálidos nomeolvides.

Cuando el sol se puso detrás de Alveric, miró esas montañas celestes para ver con qué color sus picos asombrarían el
atardecer; pero ni un matiz recibieron del sol poniente, cuyo
esplendor doraba todos los campos que conocemos, ni una
línea se desvaneció de sus precipicios, ni una sombra se es-
pesó, y Alveric supo entonces que por nada que aquí suceda
hay cambio en las tierras encantadas.

Desvió la mirada de su pálida belleza serena y la dirigió a
los campos que conocemos. Y, allí, con sus tejados elevados a
la luz del sol por sobre profundos setos embellecidos por la
primavera, vio las moradas de los hombres terrenales. Siguió
avanzando más allá mientras la belleza de la tarde crecía con
el canto de los pájaros, los perfumes errantes de las flores y los
olores que se hacían más y más hondos mientras la tarde se
preparaba para recibir a la Estrella de la Tarde. Pero antes que
la estrella apareciera, el joven aventurero encontró la cabaña
que buscaba; porque, agitado por el viento sobre la puerta,
vio un enorme letrero de cuero pardo con estrafalarias letras
doradas donde se proclamaba que el morador trabajaba
el cuero.

Un anciano acudió a la puerta cuando Alveric llamó, pequeño e inclinado por la edad, y se inclinó más todavía
cuando Alveric se dio a conocer. Y el joven pidió una vaina
para su espada, aunque no dijo de qué espada se trataba. Y los
dos entraron a la cabaña donde se encontraba la vieja esposa
junto al fuego, y el matrimonio rindió honores a Alveric. El
anciano se sentó cerca de su sólida mesa, cuya superficie

brillaba suave, dondequiera no estuviera marcada por las pequeñas herramientas que habían perforado piezas de cuero toda su vida y en días de la vida de sus padres. Y luego se puso la espada en las rodillas y se asombró de la rudeza de la empuñadura y la guarda, porque eran de crudo metal sin pulir, y del enorme ancho de la espada; y entonces aguzó los ojos y empezó a concentrarse en su oficio. Y en un instante pensó lo que debía hacerse; su mujer le trajo un magnífico cuero y él marcó en la pieza dos secciones tan anchas como la espada y algo más todavía.

Y Alveric dejó sin contestación cualesquiera preguntas que le formuló el anciano en relación con la ancha espada brillante, pues no deseaba que se desconcertara al saber todo lo que en ella había; ya más tarde desconcertó bastante a la anciana pareja cuando les pidió alojamiento para pasar la noche. Y se lo concedieron con tantas excusas como si fueran ellos los que pidieran un favor, y le dieron una gran cena salida de su caldero, en el que hervía todo lo que el anciano había cogido en la trampa; pero nada que dijo Alveric impidió que le cedieran su cama y se prepararan para el propio descanso nocturno un montón de pieles junto al fuego.

Y después de la cena el anciano cortó las dos anchas secciones de cuero con una punta al extremo de cada cual, y empezó a coserlas entre sí lado con lado. Y empezó entonces Alveric a indagar sobre el camino, y el viejo talabartero le habló del norte, del sur y del oeste y aun del noreste, pero del este o del sureste ni una palabra habló. Vivía cerca del borde mismo de los campos que conocemos, no obstante, de nada que quedara más allá de ellos, ni él ni su mujer dijeron nada. Donde el viaje de Alveric empezaría al día siguiente, según parecía, para ellos el mundo llegaba a su término.

Y al reflexionar luego en la cama que le habían dado sobre todo lo que el anciano había dicho, Alveric a veces se asombraba de su ignorancia; sin embargo, se preguntaba a veces si no habría sido astucia no decir una palabra de nada que quedara al este o al sureste de su hogar. Se preguntaba si en días tempranos el anciano no habría ido allí, pero era incapaz siquiera de preguntarse qué habría descubierto ni si en realidad habría ido. Luego Alveric se quedó dormido y los sueños le concedieron sugerencias y conjeturas sobre el viaje del anciano por el País de las Hadas, pero le concedieron una guía mejor de la que ya tenía, y era esa guía los picos celestes de las Montañas Feéricas.

El anciano lo despertó después de un largo sueño. Cuando entró a la estancia diurna, ardía allí un fuego luminoso, su desayuno estaba preparado y lista la vaina, que encajaba perfectamente en la espada. Los ancianos lo sirvieron en silencio y recibieron un pago por la vaina, pero nada quisieron por la hospitalidad. En silencio lo miraron ponerse de pie para partir y lo siguieron sin pronunciar palabra hasta la puerta, y afuera, lo miraron todavía, con toda claridad, en la esperanza de verlo girar hacia el norte o hacia el oeste; pero cuando él giró y se dirigió a grandes pasos hacia las Montañas Feéricas, ya no siguieron mirándolo, porque sus caras jamás se volvían hacia esa dirección. Y aunque ya no lo miraban, él agitaba su mano en señal de despedida; porque lo conmovían las cabañas y los campos de la gente sencilla, como no se conmovía ésta por las tierras encantadas. Anduvo en la mañana resplandeciente por escenarios que le eran familiares desde la infancia; vio las orquídeas rojizas que florecían temprano y recordaban a las campánulas que habían ya pasado la flor de su edad; las jovenes hojitas del roble eran todavía de un amarillo pardusco;

las nuevas hojas de las hayas brillaban como el bronce, donde el cuclillo llamaba con voz clara, y un abedul parecía una cria—tura salvaje del bosque que se hubiera vestido de gasa verde; en algunos arbustos privilegiados había capullos de primaveras. Alveric se despedía para sí de todo esto una y otra vez; el cuclillo seguía llamando, pero no lo llamaba a él. Y entonces, al atravesar un seto y entrar en un campo sin cultivo, de pronto frente a él, como su padre le había dicho, estaba la linde de crepúsculo. Se extendía por el campo azul y densa como el agua, y las cosas que se veían a través de ella parecían deformadas y brillantes. Volvió a mirar una vez más los campos que conocemos, el cuchillo seguía llamando indiferente un pajarillo cantaba acerca de sus propios asuntos; y nada parecía responder o hacer caso de su despedida. Alveric avanzó con audacia sobre esas prolongadas masas de crepúsculo.

Un hombre, no muy lejos, llamaba a los caballos, había gente que conversaba en un valle vecino cuando Alveric penetró en el muro de crepúsculo; al instante todos esos sonidos se apagaron, convertidos en un ligero murmullo como si vinieran desde una gran distancia; al cabo de unos pocos pasos todo acabó y ni el más ligero susurro llegaba de los campos que conocemos. Los campos por los que había venido se acabaron de súbito; ni rastros había de los setos engalanados de un verdor nuevo; miró atrás y la frontera parecía baja, nubosa y humeante; miró alrededor de sí y no vio nada familiar; en lugar de la belleza de mayo estaban las maravillas y los esplendores del País de los Elfos.

Las montañas celestes se elevaban augustas en su gloria, trémulas y onduladas en una luz dorada que parecía derramarse rítmicamente desde las cumbres e inundar las laderas

con brisas de oro. Y por debajo, lejanas todavía, vio elevarse
en el aire plateadas las agujas del palacio del que sólo puede
hablarse en un canto. Estaba en una llanura en la que las
flores eran extrañas y las formas de los árboles monstruosas.
Se puso en seguida en camino hacia las agujas de plata.

A los que con tino hayan limitado sus fantasías dentro de
los límites de los campos que conocemos, me es difícil hablarles de la tierra a la que había llegado Alveric, de modo que
puedan ver con los ojos de la mente esa llanura con los árboles esparcidos y el lejano bosque oscuro del que se elevaba
el palacio del País de los Elfos con sus agujas resplandecientes
y, por sobre ellas y más allá de ellas, esa serena cadena de
montañas que no recibían color alguno de ninguna de las
luces que nosotros vemos. Sin embargo, es precisamente con
este fin que nuestras fantasías se trasladan a lo lejos, y si el
lector, por mi culpa, no logra figurarse las cumbres del País de
los Elfos, mejor habría sido que mi imaginación se hubiera
quedado en los campos que conocemos. Sabed, pues, que en
el País de los Elfos hay colores más profundos que en nuestros campos, y que el aire mismo resplandece con una luminosidad tan profunda, que todo lo que se ve allí tiene algo del
aspecto de nuestros árboles y nuestras flores cuando en junio
se reflejan en el agua. Y el color del País de los Elfos, que
desespero pintar, puede sin embargo pintarse, porque hay
aquí sugerencias que lo evocan; el azul profundo de la noche
en verano cuando el crepúsculo vespertino acaba de partir, el
pálido azul de Venus al inundar la tarde avanzada con su luz,
la profundidad de los lagos al atardecer sugieren todos ese
color. Y así como nuestros girasoles se vuelven cuidadosos al
sol, algún antepasado de los rododendros debió de haberse
vuelto un tanto hacia el País de los Elfos, de modo que par-

te de su gloria los habita todavía hasta el día de hoy. Y, sobre todo, nuestros pintores han tenido atisbos de ese país, de modo que a veces en los cuadros vemos un embeleso excesivo para nuestros campos; es un recuerdo intruso de algún vicio atisbo de las montañas celestes mientras sentados frente a sus caballetes pintaban los campos que conocemos.

De modo que Alveric avanzó por el aire luminoso de esa tierra cuyos atisbos oscuramente recordados, son aquí inspiración. Y se sintió en seguida menos solo. Porque hay una barrera en los campos que conocemos que separa abrupta a los hombres de toda otra forma de vida, de modo que si un solo día permanecemos apartados de nuestra especie, nos sentimos solitarios; pero una vez atravesada la linde del crepúsculo, Alveric vio que esa barrera había bajado. Los cuervos que andaban por el páramo lo miraban caprichosamente, toda clase de criaturitas lo espiaban con curiosidad para ver quién había venido de un sitio del que tan rara vez llegaba un visitante; para ver quién había emprendido un viaje del que tan pocos regresaban; porque el Rey del País de los Elfos tenía muy bien guardada a su hija, como lo sabía Alveric aunque no sabía cómo. Había una alegre chispa de interés en todos esos ojillos, y una expresión que podría significar advertencia.

Había menos misterio aquí quizá que en nuestro lado de la linde del crepúsculo; porque nada se ocultaba parecía ocultarse tras los grandes troncos de los robles, como en ciertas luces y estaciones hay quien se oculta en los campos que conocemos; ni nada extraño escondido en el extremo opuesto de las lomas; nada habitaba los bosques profundos; lo que hubiera de acechante, podía verse claramente, cualquier extrañeza se desplegaba a la vista del viajero, lo que pudiera frecuentar los bosques vivía allí a la luz del día.

Y tan profundamente bañaba el encantamiento toda esta tierra, que no sólo bestias y hombres adivinaban mutuamente mensajes, sino que parecía haber una inteligencia aun que iba de los hombres a los árboles y de los árboles a los hombres. Pinos solitarios junto a los cuales Alveric pasaba de vez en cuando en el páramo, con troncos siempre resplandecientes por alguna luz rojiza recibida por arte de magia de alguna, vieja puesta de sol, parecían erguirse con los brazos en jarra e inclinarse un poco para mirarlo. Casi parecía que no hubieran sido siempre árboles antes de que el encantamiento los hubiera ganado; parecían quererle decir algo.

Pero Alveric no hacía caso de las advertencias de las bestias ni de los árboles, y avanzó hacia el bosque encantado.

Capítulo III

LA ESPADA MÁGICA SE TOPA CON ALGUNAS ESPADAS DEL PAÍS DE LOS ELFOS

Cuando Alveric llegó al bosque encantado, la luz con la que el País de los Elfos resplandecía no había aumentado ni menguado, y vio que no provenía de radiación alguna que brilla sobre los campos que conocemos, a no ser que las luces errantes de momentos maravillosos que asombran a veces a nuestros campos y desaparecen en el instante mismo en que aparecen, crucen extraviadas la linde del País de los Elfos por alguna alteración momentánea de la magia. Ni el sol ni la luna daban luz a ese día encantado.

Una hilera de pinos por los que la hiedra trepaba hasta el crecimiento de su negro follaje, se erguían como centinelas en el borde del bosque. Las agujas de plata brillaban como si ellas fueran las que constituían el azul resplandor en que se bañaba el País de los Elfos.

Alveric, que había penetrado profundamente en el País de los Elfos y se encontraba ahora frente a su palacio capital, sabiendo lo bien guardados que estaban sus misterios, desenvainó la espada de su padre antes de entrar en el bosque. La otra colgaba todavía a sus espaldas dentro de su vaina sobre el hombro izquierdo.

Y cuando pasó junto a uno de los pinos guardianes, la hiedra que vivía en él se soltó de sus vitículas y dejándose caer rápidamente, avanzó sobre Alveric y lo asió por el cuello.

La larga espada desgastada de su padre llegó justo a tiempo; si no la hubiera desenvainado, difícilmente habría podido escapar, tan veloz fue el ataque de la hiedra. Cortó vitícula tras vitícula, que, le aferraban los miembros como la hiedra se aferra a viejas torres, y aún más vitículas lo atacaban, hasta que seccionó el tallo principal entre él y el árbol. Y mientras lo hacía, oyó tras de sí un avance sibilante, y otra se había desprendido de un árbol y se precipitaba sobre él con todas sus hojas extendidas. La verde criatura lucía salvaje y encolerizada al aferrarle el hombro izquierdo como si fuera a tenerlo sujeto para siempre. Pero Alveric le cortó las vitículas con un movimiento de la espada y luchó luego con el resto mientras la primera tenía vida todavía pero era ahora demasiado corta para alcanzarlo, y azotaba furiosa con sus ramas el suelo. Y superada la sorpresa del ataque y librado de las vitículas que lo asían, Alveric retrocedió hasta que la hiedra no pudo alcanzarlo y él podía atacarla todavía con su larga espada. La hiedra se arrastró hacia atrás entonces para atraer a Alveric, y se abalanzó sobre él cuando la siguió. Pero, aunque

terrible es el abrazo de la hiedra, esa era una espada de agu-
zado filo; y muy pronto Alveric, aunque magullado, tanto
había cercenado a su atacante, que éste huyó hacia su árbol y
trepó nuevamente en él. Entonces Alveric dio un paso atrás
y observó el bosque a la luz de esta nueva experiencia para
escoger un camino sin riesgo a través de él. Vio en seguida
que en la barrera de pinos, los dos que enfrentaba tenían
ahora la hiedra tan reducida como consecuencia de la lucha,
que podría pasar entre ellos sin peligro de ser alcanzado.
Avanzó entonces, pero en el momento de hacerlo, vio que los
pinos se acercaban el uno al otro. Supo entonces que había
llegado el momento de recurrir a su espada mágica.

De modo que devolvió la espada de su padre a su vaina
sobre su flanco y desenvainó la otra por sobre el hombro y,
avanzando hacia el árbol que se había movido, atacó a la
hiedra cuando saltó ésta sobre él; y cayó la hiedra de inmediato al suelo, no sin vida, sino una hiedra corriente. Y asestó luego un golpe al tronco del árbol, y una astilla saltó no
más grande que la que hubiera hecho saltar una espada corriente, pero, el árbol entero se estremeció; y con ese estremecimiento desapareció en seguida un cierto aspecto omi-
noso que el pino había exhibido, y quedó allí erguido como
un árbol ordinario sin hechizo alguno. Avanzó luego por el
bosque con su espada desenvainada.

No había andado mucho cuando oyó tras de sí un sonido
como el que hace una ligera brisa en la copa de los árboles y,
sin embargo, no soplaba viento alguno en aquel bosque. Miró
por tanto a su alrededor y vio que los pinos lo seguían. Venían
lentamente tras él manteniéndose fuera del alcance de su espada, pero a izquierda y derecha le iban ganando terreno, de
modo que iba siendo encerrado gradualmente en una media

luna que iba haciéndose más y más espesa a medida que llegaba a los árboles que se le cruzaban en el camino y que no tardaría en aplastarlo. Alveric vio de inmediato que retroceder sería fatal y decidió seguir adelante confiando sobre todo en la velocidad; porque su rápida percepción había ya advertido algo lento en la magia que regía el bosque; como si quien lo controlara fuera viejo o estuviera cansado de la magia u otras cosas lo interrumpieran. De modo que avanzó asestando un golpe a todo árbol con que se topaba, estuviera encantado o no, con su espada mágica; y las runas que impregnaban el metal del otro lado del sol eran más poderosas que los hechizos del bosque. Grandes robles de tronco siniestro, caían y perdían todo su encantamiento cuando Alveric pasaba a su lado y los hería con su espada mágica. Avanzaba más de prisa que los torpes pinos. Y pronto dejó en ese extraño y espantable bosque una estela de árboles sin el menor hechizo, que quedaban erguidos sin rastros de encanto ni de misterio siquiera.

Y de pronto salió de la lobreguez del bosque a la gloria esmeralda de los prados del País de los Elfos. También de esto hay sugerencias en nuestro mundo. Imaginad los prados cuando emergen de la noche con las luces tempranas resplandecientes en las gotas de rocío una vez desaparecidas las estrellas; rodeados de flores que empiezan a crecer, recobrados sus gentiles colores al cabo de la noche; hollados sólo por los pies más pequeños y silvestres; protegidos del viento y el mundo por árboles en cuyas frondas es todavía de noche, imaginaos a éstos a la espera del canto de los pájaros; hay allí a veces casi una sugerencia del fulgor de los prados del País de los Elfos; claro que cesa tan de prisa que nunca puede uno estar seguro. Más hermosos que nada que nuestra fantasía conciba, más de lo que nuestros corazones esperan, eran el rocío y el crepúsculo en que refulgen y brillan estos prados. Y otra cosa tenemos que nos los recuerdan: las algas o los musgos marinos que engalanan las rocas mediterráneas y brillan desde las aguas azul-verdosas para quienes las contemplan desde el vértigo de los acantilados: más semejantes al suelo marino eran estos prados que ninguno de nuestros paisajes, porque el aire del País de los Elfos así es de profundo y azul.

La belleza de esos prados contemplaba Alveric, que resplandecían a través del crepúsculo y el rocío, rodeados de la gloria malva y rojiza de las flores del País de los Elfos; comparados con ella nuestros atardeceres palidecen y nuestras orquídeas se desmoronan; y más allá de ellos se extendía como la noche, el bosque mágico. Y asomando por sobre el bosque, con portales refulgentes abiertos todos ampliamente a los prados, con ventanas más azules que nuestro cielo en las noches de verano, como construido con la luz de las estrellas, brillaba ese palacio del que sólo puede hablarse en un canto.

Mientras Alveric se estaba allí con la espada en la mano al borde del bosque contemplando por sobre los prados de más alta gloria del País de los Elfos, por uno de los portales salió sola la hija del Rey de los Elfos. Avanzó encandilada hacia los prados sin ver a Alveric. Sus pies rozaban el rocío y el aire denso y gentilmente presionaban por un instante la hierba esmeralda, que se inclinaba y se alzaba, como nuestras campanulas cuando las mariposas azules se posan en ellas y las abandonan, errando despreocupada junto a las colinas decreta.

Y al pasar ella, él no respiró ni se movió; no podría haberse movido siquiera si los pinos aún lo hubieran perseguido, pero permanecían en el bosque sin atreverse a tocar estos prados.

Llevaba ella una corona que parecía tallada en grandes zafiros pálidos; resplandecía la hija del Rey del País de los

Elfos en esos prados y jardines como un amanecer que de la noche hubiera salido sin advertirlo a algún planeta menos alejado del sol que el nuestro. Y, al pasar cerca de Alveric, volvió de pronto la cabeza; y sus ojos se abrieron con asombro jamás había visto antes a un hombre de los campos que conocemos.

Y Alveric la miró a los ojos todavía sin habla e imposibilitado: era por cierto la Princesa Lirazel por su belleza. Y vio entonces que su corona no era de zafiro, sino de hielo.

—¿Quién eres? —preguntó ella. Y de todas las cosas terrenales, su voz se parecía al hielo quebrado en mil fragmentos mecidos por el viento de primavera sobre los lagos de algún país del Norte.

Y él respondió:

—Vengo de los campos cartografiados y conocidos.

Y entonces ella suspiró por un momento por esos campos, porque tenía noticia de cómo allí transcurre hermosamente la vida, y cómo hay siempre en esos campos nuevas generaciones, y pensó en las estaciones cambiantes y en los niños y en la ancianidad, de los que los trovadores feéricos cantaban cuando hablaban de la Tierra.

Y cuando él la vio suspirar por los campos que conocemos, le contó algo de la tierra de la que había venido. Y ella siguió haciéndole preguntas, y él le contó entonces cuentos de su patria y del valle de Erl. Y ella se maravilló al oírlo y le hizo muchas más preguntas todavía. Y él le contó todo lo que sabía de la Tierra, no lo que él había visto con sus ojos en sus escasos veinte años, sino los cuentos y las fábulas de los usos de las bestias y de los hombres recogidos por el pueblo de Erl con el correr de los siglos y contados junto al fuego cuando los niños preguntaban qué había ocurrido hacía mucho. Así pues, al borde de esos prados cuya gloria milagrosa estaba rodeada de flores nunca vistas de nosotros, con el bosque mágico por detrás y el palacio resplandeciente en las cercanías del que sólo puede hablarse en un canto, conversaban de la sencilla sabiduría, de los viejos y de las viejas, de las cosechas y del florecimiento de las rosas y las primaveras; de cuándo plantar en los huertos, de los animales salvajes conocidos, de cómo curar, de cómo sembrar, de cómo techar y de cómo soplan los vientos en las diversas estaciones sobre los campos que conocemos.

Y entonces aparecieron, los caballeros que guardan el palacio por si alguien lograra atravesar el bosque. Cuatro llegaron resplandecientes sobre los prados en armaduras, con caras invisibles. En todos los siglos de encantamiento de sus vidas, jamás se habían atrevido a soñar con la princesa: nunca se habían descubierto la cara al arrodillarse armados ante ella. Pero habían hecho un juramento de terribles palabras: nunca hombre alguno podría hablar con ella si lograba atravesar el bosque encantado. Con ese juramento ahora en los labios, avanzaron sobre Alveric.

Lirazel los miró apenada, pero no le era posible detenedlos, pues venían por orden de su padre, que no podía evitar; bien sabía ella que su padre no revocaría su orden, pues la había dado hacía siglos por mandato del Hado. Alveric miró sus armaduras, que parecían más brillantes que ninguno de nuestros contrafuertes de los que sólo puede hablarse en un canto; luego avanzó hacia ellos desenvainando la espada de su padre, pues pensaba introducir su aguda punta por alguna articulación de la armadura. A la otra la llevaba en la mano izquierda.

Al atacar el primer caballero, Alveric le desvió el golpe, pero sintió un estremecimiento en el brazo, como si lo penetrara un rayo, y la espada voló de su mano; supo entonces que ninguna espada terrestre podría salir al encuentro de las armas del País de los Elfos, y cogió la espada mágica con la mano derecha. Con ésta paró las estocadas de la guardia de la Princesa Lirazel porque eso eran los cuatro caballeros, y venían esperando esta ocasión desde el principio de los siglos del País de los Elfos. Y ya no le sobrevino estremecimiento alguno de estas espadas, sino sólo una vibración en el metal de la suya propia que la recorría como una canción, y una especie de fulgor en ella, que le llegaba a Alveric al corazón y se lo animaba.

Pero mientras Alveric seguía desviando las rápidas estocadas de la guardia, esa espada que era pariente del rayo, se fatigó de esas defensas, porque había en su esencia velocidad y muchas jornadas desesperadas; y levantando la mano de Alveric junto con ella, asestó de golpes sobre los caballeros feéricos, y las armas del País de los Elfos no pudieron resistir. Por las hendeduras de las armaduras empezó a manar una sangre espesa y extraña; y Alveric, alentado por el celo de su espada, luchó animado y pronto derribó a otro, de modo que sólo él permaneció en pie y uno de los guardias, que parecía dotado de una magia más poderosa que la concedida a sus camaradas caídos. Y así era, porque cuando el Rey Elfo había encantado a la guardia por primera vez, había encantado a este caballero feérico antes que otro alguno, mientras toda la maravilla de sus runas era reciente; y el soldado, su armadura y su espada retenían algo aún de esa magia temprana, más potente que cualquier otra brujería concebida luego por la mente de su amo. Sin embargo este caballero como pronto pudo sentirlo a lo largo de su brazo y su espada, no tenía nada de esas tres runas fundamentales de las que la vieja bruja había hablado cuando forjó la espada en su colina; por que éstas habían sido preservadas por el mismo, Rey del País de los Elfos, sin haberlas emitido nunca, para escudar su propia

presencia. Para tener conciencia de su existencia, tuvo ella por
fuerza que haber volado en su escoba hasta el País de los Elfos y hablado allí secretamente a solas con el rey.

Y la espada, que había visitado la Tierra desde tan lejos,
hería como la caída del rayo; y verdes chispas brotaban de la
armadura, y escarlatas cuando espada chocaba contra espada;
y espesa sangre feérica manaba lenta de amplias hendeduras
por la coraza; y Lirazel contemplaba con espanto, maravilla y
amor; y los combatientes se alejaron peleando y se internaron
en el bosque; y las ramas caían sobre ellos cercenadas por la
lucha; y las runas contenidas en la espada de Alveric, venida
de tan lejos, exultaban y bramaban ante el caballero feérico;
hasta que en la oscuridad del bosque, entre las ramas cercenadas de los árboles ya sin hechizo, con una estocada como la
de un rayo que hiende un roble, Alveric le dio muerte.

Ante el estrépito, y ante el silencio, Lirazel corrió a su lado.

—¡Rápido! —exclamó— pues mi padre tiene tres runas...
No se atrevió a hablar de ellas.

—¿A dónde? —preguntó Alveric.

Y ella dijo:

—A los campos que tú conoces.

Capítulo IV

ALVERIC VUELVE A LA TIERRA
AL CABO DE MUCHOS AÑOS

A través del bosque guardián volvieron Alveric y Lirazel;
ella miró sólo una vez más esas flores y esos prados que sólo
ven las fantasías que más largos viajes emprenden de los poe-

tas en el sueño más profundo, y luego instó a Alveric a apresurarse; él escogió el camino junto a los árboles que ya había desencantado.

Y ella no quería siquiera que él se demorara en escoger el camino, sino que sin cesar lo urgía a alejarse del palacio del que sólo puede hablarse en un canto. Y los otros árboles empezaron a avanzar torpemente sobre ellos desde más allá de la opaca línea sin encanto que la espada de Alveric había trazado, luciendo extraños a llegar junto a sus camaradas derribados, cuyas ramas insensibles yacían sin magia ni misterio. Y al acercarse los árboles móviles, Lirazel levantaba la mano y ellos se detenían y ya no avanzaban; y aún seguía instando a Alveric a que se diera prisa.

Ella sabía que su padre pronto subiría las escaleras de bronce de una de esas agujas plateadas, sabía que pronto saldría a un alto balcón, sabía qué runa entonaría. Oyó el sonido de sus pasos ascendentes que resonaban ahora en el bosque. Se precipitaron por la llanura más allá del bosque en el sempiterno día azul de los elfos, y una vez y otra miraba atrás por sobre el hombro e instaba a Alveric a apresurarse. Los pies del Rey de los Elfos resonaban lentos sobre los mil escalones de bronce, y ella tenía la esperanza de llegar a la linde de crepúsculo, que de ese lado lucía humeante y opacada; cuando, de pronto, al mirar por centésima vez los balcones distantes de las agujas resplandecientes, vio una puerta que empezaba a abrirse allí arriba, en el palacio del que sólo puede hablarse en un canto. Gritó a Alveric:

—¡Ay!

Pero en ese momento les llegó el perfume de las rosas silvestres de los campos que conocemos.

Alveric no conocía la fatiga porque era joven, ni tampoco

ella la conocía porque era intemporal. Se precipitaron adelante y él le cogió la mano; el Rey Elfo levantó la barba y al
empezar a entonar una runa que sólo una vez puede en
tonarse, contra la que nada puede nada en nuestros campos
ellos habían atravesado la linde de crepúsculo y la runa sacudió y perturbó, esas tierras que ya Lirazel no pisaba.

Cuando Lirazel vio los campos que conocemos, tan extraños para ella como lo fueron una vez para nosotros, su belleza la deleitó. Rió al ver los almiares y se enamoró de su rareza.
Una alondra cantaba y Lirazel le habló; la alondra no pareció
entenderle, pero ella se volvió hacia las otras glorias de nuestros
campos, porque todo le era nuevo y se olvidó de la alondra.
Extrañamente no era ya la estación de las campánulas porque
las dedaleras estaban florecidas, habían partido las primaveras
y llegado las rosas silvestres. Alveric no podía comprenderlo.

Era temprano por la mañana y brillaba el sol tiñendo de
dulces colores nuestros campos, y Lirazel se regocijaba en esos
campos nuestros ante las cosas más corrientes entre las familiares de la Tierra cotidiana. Tan complacida estaba, tan
alegre con sus gritos de sorpresa y su risa, que en adelante
le pareció a Alveric descubrir en los ranúnculos una belleza
en la que jamás había soñado, y una gracia en los carretones
que nunca antes había advertido. A cada momento descubría
ella con una exclamación de deleite algún tesoro de la Tierra
inadvertido para él hasta entonces. Y mientras contemplaba la
belleza más delicada todavía que la de las rosas silvestres con
que ella engalanaba nuestros campos, vio que su corona de
hielo se había fundido.

Y así vino ella del palacio del que sólo puede hablarse en
un canto a nuestros campos, de los que no es necesario que
hable, porque eran los campos familiares de la Tierra que los

siglos cambian muy poco y sólo por un tiempo; y al caer la tarde llegó junto con Alveric al hogar de éste.

Todo había cambiado en el Castillo de Erl. En la entrada se encontraron con un guardián a quien Alveric conocía, el hombre se asombró al verlos. En el vestíbulo y las escaleras se encontraron con sirvientes del castillo que volvían sus cabezas sorprendidos. También a ellos conocía Alveric, pero habían envejecido; y advirtió que diez años debían de haber pasado durante el único día azul que él había estado en el País de los Elfos.

¿Quién ignora que así son las cosas en el País de los Elfos? Y, sin embargo ¿quién no se sorprendería al verlas como Alveric las veía? Se dirigió a Lirazel y le dijo que diez o doce años habían pasado. Pero era como si un hombre humilde que se hubiera casado con una princesa terrenal le dijera que había perdido seis peniques; el tiempo no tenía valor ni significado para Lirazel, y no la perturbó saber la pérdida de diez años. Ni soñaba siquiera lo que significa aquí para nosotros el tiempo.

Le dijeron a Alveric que su padre había muerto desde hacía ya mucho. Y uno le dijo que había muerto dichoso, sin impaciencia, confiando en que Alveric cumpliría su orden; porque algo sabía de los usos del País de los Elfos y sabía que los que transitan entre aquí y allí deben tener algo de esa calma con la que el País de los Elfos siempre sueña.

Valle arriba, ya tarde, oyeron el trabajo del herrero. Este herrero había sido el portavoz de los que otrora se presentaron en la profunda estancia roja del Señor de Erl. Y todos esos hombres todavía vivían; porque el tiempo, aunque se movía sobre el valle de Erl como se mueve sobre todos los campos que conocemos, lo hacía allí lentamente, no como en nuestras ciudades.

De allí Alveric y Lirazel fueron al sitio sagrado del Libertador. Y cuando lo encontraron Alveric le pidió que los casara de acuerdo con el rito sacramental. Y cuando el Libertador vio la belleza de Lirazel resplandecer entre las cosas vulgares acumuladas en su pequeño recinto sagrado, porque lo había ornamentado con baratijas que él a veces compraba, en la feria, temió en seguida que su linaje no fuera mortal. Y cuando le preguntó de dónde venía y ella respondió alegremente: «Del País de los Elfos», el buen hombre unió ambas sus manos y le dijo severo que todo lo que habitaba en esa tierra no tenía salvación. Pero ella se sonrió, porque siempre en el País de los Elfos había sido despreocupadamente feliz, ahora sólo se cuidaba de Alveric. El Libertador recurrió a sus libros para ver qué debería hacerse.

Durante mucho tiempo leyó en silencio, sólo se lo oía respirar mientras Alveric y Lirazel esperaban a su lado. Y por fin encontró en su libro una fórmula de servicio para las bodas de una sirena que había abandonado el mar, aunque el libro nada decía del País de los Elfos. Y esto, dijo, bastaría porque las sirenas, al igual que los elfos, están más allá de la idea de salvación. De modo que envió a buscar la campana y, los cirios necesarios. Luego, volviéndose a Lirazel, le ordenó abandonar, renegar y renunciar a todo lo relacionado con el País de los Elfos, para lo cual leyó en un libro las palabras que debían utilizarse en esta salutífera ocasión.

—Buen Libertador —respondió Lirazel— nada que se diga en estos campos puede cruzar la linde del País de los Elfos. Y es bueno que así sea, porque mi padre tiene tres runas que podrían destruir este libro en respuesta a sus hechizos si alguna palabra pudiera atravesar la frontera de crepúsculo.

—Pero no me es posible unir en matrimonio a un hombre

sacramental —contestó el Libertador— con una de las criaturas pertinaces que habitan más allá de la salvación.

—Entonces, a ruego de Alveric, ella dijo lo que decía el libro.

—Aunque mi padre podría destruir este hechizo —añadió— si alguna vez una de sus runas cruzara la linde.

Y traídos la campana y los cirios, el buen hombre los unió en matrimonio en su pequeña casa de acuerdo con los ritos adecuados, a las bodas de una sirena que ha abandonado el mar.

Capítulo V

LA SABIDURÍA DEL PARLAMENTO DE ERL

Durante esos días nupciales los hombres de Erl visitaban con frecuencia el castillo llevando regalos y felicitaciones; y por las noches hablaban de las bellas cosas que esperaban para el Valle de Erl como consecuencia de la sabiduría de que habían dado muestras al dirigirse al viejo señor en su profunda estancia roja.

Eran ellos Nari, el herrero, que había sido el conductor de todos; Guhic, el primero que lo había pensado después de haber hablado con su mujer, un granjero de tierras altas, sembrador de tréboles; Nehic, conductor de caballos; había cuatro vendedores de ganado; y Oth, cazador de ciervos el jefe de aradores; todos estos y tres hombres más habían ido ante el Señor de Erl para solicitar lo que inició el viaje de Alveric. Y ahora hablaban de todo el bien que resultaría de ello. Todos habían deseado que el Valle de Erl fuera conocido entre los hombres, como lo era, según lo sentían, su desierto. Habían revisado historias, hablan leído libros sobre pastizales y, sin embargo, rara vez encontraban alguna mención del valle que amaban. Y un día Guhic había dicho:

—Seamos gobernados en el futuro por un señor dotado de magia, y hará famoso el nombre del valle, y no habrá nadie que no haya oído el nombre de Erl.

Y todos se regocijaron y se reunieron en parlamento; y habían ido, los doce hombres, al encuentro del Señor de Erl. Y todo fue como lo he contado.

De modo que ahora hablaban, bebiendo hidromiel, del futuro de Erl y del lugar que ocuparía entre los otros valles, y de la reputación que tendría en el mundo. Se reunían y conversaban en la gran herrería de Narl, y Narl traía hidromiel de una estancia interior y Threl venía tarde de trabajar en los bosques. El hidromiel estaba hecho de miel de trébol, era denso y dulce; y después de haber estado sentados en la cálida estancia conversando de las cosas cotidianas del valle y las tierras altas, concentraron la mente en el futuro, viendo la gloria de Erl como a través de una niebla dorada. Uno alababa el ganado, otro los caballos, un tercero la fertilidad del terreno, y todos contemplaban el momento en que otras tierras reconocerían el gran dominio ejercido entre los valles por el valle de Erl.

Y el Tiempo que trajo estas veladas, se las llevó, moviéndose sobre el Valle de Erl como sobre los campos que conocemos, y llegó la primavera una vez más, y la estación de las campánulas. Y un día, durante el apogeo de las anémonas silvestres, se dijo que Alveric y Lirazel tenían un hijo.

Entonces toda la gente de Erl encendió un fuego la noche siguiente en la colina, y bailaron a su alrededor, bebieron hidromiel y se regocijaron. Todo el día habían arrastrado leños y ramas para él desde un salvaje bosque cercano, y el resplandor de las llamas se veía desde otras tierras. Sólo en las cumbres celestes de las montañas del País de los Elfos no se reflejaban, porque nada de lo que pueda suceder aquí las altera.

Y cuando descansaron del baile alrededor del fuego sentados en el suelo, predijeron la fortuna de Erl cuando fuera gobernada por este hijo de Alveric, dotado de magia por el linaje materno. Y algunos decían que los conduciría a la guerra y otros a un arado más profundo; y todos predecían un precio más alto para el ganado. Nadie durmió esa noche, ocupados en bailar, en predecir un futuro glorioso y en regocijarse por todo lo que predecían. Y más que en nada se regocijan en que el nombre de Erl sería en adelante, reconocido y honrado en otras tierras.

Entonces Alveric buscó a un aya para su hijo por todo el valle y las tierras altas, y no encontró fácilmente a nadie digno de tener a su cuidado al descendiente del linaje real del País de los Elfos; y las que encontró tenían miedo de la luz, ni del cielo ni de la tierra, que parecía brillar a veces en los ojos del niño. Y al final ascendió una mañana ventosa la colina de la bruja solitaria, y la encontró sentada, ociosa a la puerta de su cabaña, sin tener nada que maldecir ni bendecir.

—Pues bien —dijo la bruja— ¿te trajo la espada fortuna?

—¿Quién sabe —contestó Alveric— lo que trae fortuna desde que no nos es posible ver el final?

Y habló con fatiga pues lo fatigaba la edad: nunca supo cuántos años le pasaron por encima ese día que viajó al País de los Elfos; muchos más, parecía, que los que habían pasado ese mismo día sobre Erl.

—Sí —dijo la bruja—. ¿Quién conoce el final salvo nosotros?

—Madre bruja —dijo Alveric—, desposé a la hija del Rey
de los Elfos.

—Fue ese un gran ascenso —dijo la vieja bruja.

—Madre bruja —dijo Alveric—, tenemos un hijo.
¿Quién ha de tenerlo a su cuidado?

—No es esa una tarea humana —dijo la bruja.

—Madre bruja —dijo Alveric— ¿vendrás al Valle de Erl,
lo tendrás a tu cuidado y serás el aya en el castillo? Porque
nadie, salvo tú, sabe en estos campos nada de los asuntos del
País de los Elfos, con excepción de la princesa, y ella nada
sabe de la Tierra.

Y la vieja bruja respondió:

—Por el rey, lo haré.

De modo que la bruja bajó de la colina con un atado extrañas pertenencias. Y así el niño fue cuidado en los campos
que conocemos por alguien que conocía canciones y cuentos
de la patria de su madre.

Y a menudo, al inclinarse juntas sobre el niño, esa vieja
bruja y la Princesa Lirazel, conversaban de cosas sobre las que
Alveric nada sabía, y también después, durante el curso de
largas veladas; y a pesar de la edad de la bruja y la sabiduría
que había acumulado en sus cien años, por completo oculta
al hombre, era ella la que aprendía cuando conversaban, y la
Princesa Lirazel era la que enseñaba. Pero de la Tierra y de los
usos de la Tierra Lirazel nunca supo nada.

Y esta vieja bruja que vigilaba al niño, lo atendía de tal
modo y de tal modo lo tranquilizaba, que en toda su infancia jamás lloró. Porque tenía un hechizo para iluminar la
mañana animar el día, un hechizo para calmar la tos y un

hechizo para calentar el cuarto del niño y volverlo alegre y feérico cuando el fuego se erguía crepitante sobre leños que ella había encantado, y arrojaba grandes sombras de las cosas que le estaban cerca, estremecidas y dichosas, sobre el cielo raso.

Y el niño era cuidado por Lirazel y la bruja como son cuidados los niños por sus madre meramente humanas; pero él sabía melodías y runas además, que otros niños de nuestros campos no saben.

De modo, pues, que la vieja bruja se estaba en el cuarto con su bastón negro, guardando al niño con sus runas. Si en las noches ventosas una corriente de aire se filtraba por alguna hendedura, ella tenía un hechizo para calmarla, y un hechizo para encantar la canción que cantaba el caldero, hasta que su melodía evocaba extrañas nuevas de los lugares ocultos por la niebla. Y a medida que el niño crecía, iba conociendo el misterio de los valles lejanos que jamás había visto. Y por la noche ella levantaba su bastón de ébano y, en pie frente al fuego entre todas las sombras, las encantaba y hacía que bailaran para él. Y asumían toda clase de formas, bondadosas y malignas, y bailaban para complacer al niño; de modo que éste llegó a tener conocimiento no sólo de las criaturas con que cuenta la tierra: cerdos, árboles, camellos, cocodrilos, lobos y patos, y los buenos perros y la vaca gentil, sino también de las cosas más oscuras que los hombres temen y de las cosas que adivinan y esperan. En el curso de esas noches las cosas que suceden y las criaturas que existen pasaban por las paredes del cuarto del niño y él llegó a familiarizarse con los campos que conocemos. Y en las tardes cálidas la bruja lo llevaba a la aldea y los perros ladraban al ver figura tan extraña, pero no se atrevían a acercársele pues un paje iba detrás con el bastón de ébano. Y los perros, que saben tanto, que saben lo lejos que un hombre puede lanzar una piedra, si ha de pegarles o si no se atreve, sabían también que no era ese un bastón corriente. De modo que se mantenían apartados de ese extraño bastón negro y gruñían, y los aldeanos acudían a mirar. Y todos se alegraban al ver de cuanto poder mágico estaba dotada el aya del joven heredero.

—Porque esta —decían— es la bruja Ziroonderel.

Y declaraban que lo criaría de acuerdo con los principios de la brujería y que con el tiempo la magia volvería el valle famoso. Y golpeaban a sus perros hasta que éstos se metían en sus casas, pero los perros, sin embargo, persistían en sus sospechas. De modo que cuando los hombres habían ido ya a la herrería de Narl y sus casas quedaban acalladas a la luz de la luna, brillaban las ventanas de Narl, había circulado el hidromiel, y hablaban sobre el futuro de Erl, cada vez más voces sumadas en alabanza de su venidera gloria, con paso silencioso los perros salían a la calle polvorienta y aullaban. Y al alto cuarto del niño subía Lirazel, envuelta en una luminosidad que la sabia bruja no tenía en todos sus hechizos, y le cantaba al niño esas canciones que nadie puede cantarnos aquí, porque las había aprendido del otro lado de la linde de crepúsculo y las habían compuesto cantores: a los que el Tiempo no daña. Y a pesar de toda la maravilla que guardaban esas canciones, cuyo origen estaba tan lejos de los campos que conocemos y en tiempos tan remotos de los que los historiadores cuentan, y aunque los hombres se extrañaban de su misterio cuando por las ventanas abiertas en los días de verano volaban sobre Erl, nadie se asombraba tanto de ellas, como se asombraba Lirazel ante las modalidades terrestres de su hijo y todas las cosillas humanas que hacía a medida que iba creciendo. Porque toda modalidad humana le era extraña.

Y, sin embargo, lo amaba más que al reino de su padre o que a las resplandecientes centurias de su juventud atemporal o que al palacio del que sólo puede hablarse en un canto.

En ese tiempo Alveric advirtió que ella jamás se familiarizaría con las cosas terrenas, ni entendería a la gente que mora en el valle, ni leería libros juiciosos sin romper a reír, ni se cuidaría nunca de los usos terrenos, ni se sentiría más a sus anchas en el Castillo de Erl que una criatura del bosque atrapada por Threl y enjaulada en una casa. Había tenido esperanzas de que ella aprendería pronto las cosas que le eran extrañas, hasta que las pequeñas diferencias que existen entre las cosas de nuestros campos y las del País de los Elfos ya no la perturbaran; pero no tardó en ver que las cosas extrañas seguirían siéndolo por siempre, y que todas las centurias de su hogar atemporal no habían modelado sus pensamientos y su imaginación tan a la ligera que los breves años pasados aquí pudieran alterarlos. Cuando supo esto, supo la verdad.

Entre el espíritu de Alveric y el de Lirazel mediaba toda la distancia que hay entre la Tierra y el País de los Elfos; sobre esa distancia tendía un puente el amor que puede cubrir distancias más grandes todavía; no obstante cuando por un momento se detenía en el puente dorado y permitía que sus pensamientos contemplaran el abismo por debajo, toda su mente era ganada por el vértigo y Alveric temblaba ¿Cuál será el fin? se preguntaba. Y temía que fuera más extraño todavía que el principio.

Y ella no, se daba cuenta de que tuviera, que aprender nada. ¿No bastaba su belleza? ¿No había llegado por fin un amante a esos prados que resplandecían junto al palacio del que sólo puede hablarse en un canto y la había rescatado de su hado solitario y de la serenidad perpetua? ¿No bastaba que hubiera llegado? ¿Tenía por fuerza que comprender las cosas raras que la gente hacía? ¿Jamás podría bailar en el camino, conversar con las cabras, reír en los funerales, cantar en la noche? ¿De qué servía la alegría si era preciso ocultarla? ¿El regocijo debía ceder a la opacidad en estos extraños campos a donde había llegado? Y entonces un día vio que una mujer de Erl lucía menos hermosa que el año precedente. El cambio era ligero, pero su rápida mirada lo advirtió sin la menor duda. Y acudió a Alveric llorando para que él la consolara porque temía que el Tiempo en los campos que conocemos tuviera poder para dañar la belleza que los largos siglos del País de los Elfos jamás se habían atrevido a menguar. Y Alveric había dicho que el Tiempo por fuerza debe atenerse a lo que le es propio, como todos los hombres lo saben. ¿De qué servía, pues, quejarse?

Capítulo VI

LA RUNA DEL REY DE LOS ELFOS

En el alto balcón de su torre resplandeciente estaba el Rey del País de los Elfos. Por debajo de él resonaba el eco en los mil peldaños. Había levantado la cabeza para entonar la runa que debía retener a su hija en el País de los Elfos y, en ese momento, la vio atravesar la lóbrega barrera, que de este lado, el que da al País de los Elfos, tiene la luminosidad del crepúsculo, y del otro, el que da a los campos que conocemos, es humoso, acre y opacado. Y bajó entonces la cabeza hasta que su barba se mezcló con el manto de armiño que le cubría la túnica cerúlea, y se estuvo allí silencioso y apenado mientras el tiempo transcurría tan veloz como siempre en los campos que conocemos.

Y allí en pie, azul y blanco sobre la plata de su torre, envejecido por el paso de tiempos de los que nada sabemos, antes de que impusiera la calma eterna al País de los Elfos, pensó en su hija presa en nuestros años implacables. Porque conocía, él cuya sabiduría sobrepasaba los confines del País de los Elfos y llegaba a nuestros duros campos, la aspereza de las cosas materiales y el torbellino del Tiempo. Aun desde allí sabía que los años que atacan la belleza y las mil acritudes que vejan el espíritu ya rodeaban a su hija. Y los años que a ella le quedaban le parecían aún más escasos a él, que moraba más allá de los ajetreos y la ruina del Tiempo, que a nosotros ajetreos las horas de una rosa silvestre arrancada y tontamente abandonada en las calles de una ciudad. Sabía que ahora pesaba sobre ella la condena de toda criatura mortal. Pensaba que moriría pronto como por fuerza muere todo mortal; para ser sepultada entre las rocas de una tierra, que despreciaba al País de los Elfos y que tenía en menos sus más preciosos mitos. Y si no hubiera sido el rey de toda esa tierra mágica que mantenía la eterna calma de su propia misteriosa serenidad, habría llorado al pensar en la tumba abierta en la Tierra rocosa que aprisionaría a esa forma por siempre hermosa. O, de lo contrario, pensó, iría a algún paraíso desconocido para él, a algún cielo del que hablan los libros en los campos que conocemos, porque aun de eso estaba enterado el rey. Se la imaginaba, en una colina poblada de manzanos, bajo los capullos de un abril eterno, en la que titilarían los halos de oro pálido de los que han hablado maldecido el País de los Elfos. Veía, aunque oscuramente a pesar de toda su mágica sabiduría, la gloria que sólo los benditos ven. Veía a su hija en esas colinas, celestiales con ambos brazos tendidos, como muy bien él lo sabía, hacia las cumbres celestes de su patria feérica sin que ninguno de los benditos se cuidara de su nostalgia. Y entonces, aunque era el rey de toda esa tierra que recibía su imperecedera calma de él, lloró, y todo el País de los Elfos se estremeció. Se estremeció como se estremece el agua plácida en los campos que conocemos si algo de pronto la toca.

Luego el rey se volvió, abandonó el balcón, y bajó con gran prisa los peldaños de bronce.

Llegó con pasos sonoros a las puertas de marfil que cierran la torre por debajo y pasó por ellas a la sala del trono del que sólo puede hablarse en un canto. Y allí sacó un pergamino de un cofre y una pluma de algún ala fabulosa y, hundiendo la pluma en una tinta no terrena, escribió una runa en el pergamino. Luego, levantando dos dedos, con el encantamiento menor con que llamaba a la guardia, la convocó. Y no acudió guardia alguna.

He dicho que en el País de los Elfos el tiempo no transcurría en absoluto. Sin embargo, el acontecimiento de los hechos es de por sí una manifestación del tiempo, y ningún hecho puede acontecer a no ser que el tiempo transcurra. Así ocurre con el tiempo en el País de los Elfos: en la eterna belleza que sueña en ese aire meloso nada se agita, ni se deslíe, ni perece, nada busca su felicidad en el movimiento o el cambio o alguna cosa nueva, sino que se extasía en la contemplación perpetua de toda la belleza que por siempre ha sido y que resplandece siempre en esos prados encantados con tanta intensidad como cuando recién creados por sortilegio o canto. No obstante, si las energías de la mente del

mago salen al encuentro de una cosa nueva el poder que
había impuesto la calma al País de los Elfos y había inmovi-
lizado al tiempo, por un instante perturba la calma y por un
instante el tiempo sacude al País de los Elfos. Arrojad lo que
fuere a un estanque desde una tierra que le sea extraña, donde
sueñan grandes peces, sueñan verdes algas y densos colores y
la luz duerme; los grandes peces se estremecen, los colores se
mudan y cambian, las verdes algas tiemblan y la luz despierta,
un millar de cosas, conocen el lento movimiento y el cambio;
y pronto el estanque entero está sumido otra vez en la quietud. Lo mismo sucedió cuando Alveric atravesó la linde de
crepúsculo y el bosque encantado, y el rey se sintió perturbado y se movió y todo el País de los Elfos tembló.

Cuando el rey vio que no asistía la guardia, miró el bosque sabía perturbado, a través de la densa masa de los árboles que se estremecía todavía por la llegada de Alveric; miró
a través de la profundidad del bosque y las paredes de plata
del palacio; porque miraba por encantamiento, y vio allí a los
cuatro guardianes tendidos por tierra con su espesa sangre
feérica que manaba desde las grietas abiertas en sus armaduras. Y pensó en aquella magia temprana con la que había
hecho al mayor mediante una runa recién inspirada antes de
que hubiera conquistado al Tiempo. Pasó a través del esplendor y la refulgencia de uno de sus brillantes portales a un
prado fulgurante, se acercó al guardián caído y vio que los
árboles estaban todavía perturbados.

—Aquí ha habido magia —dijo el Rey del País de los
Elfos.

Y luego, aunque sólo tenía tres runas que podían lograr
algo semejante y sólo podían entonarse una sola vez y una de
ellas estaba ya escrita en un pergamino no para rescatar a su

hija, entonó la segunda de sus runas más poderosas sobre el caballero mayor que su magia había creado hacía ya mucho. Y en el silencio que siguió a las últimas palabras de la runa, las hendiduras abiertas en la armadura brillante como la luna se cerraron inmediatamente con un sordo sonido, desapareció la oscura sangre espesa y el caballero vivo, se puso de nuevo en pie. Y el Rey de los Elfos tenía ahora sólo una runa, más poderosa que magia alguna conocida de nosotros.

Los otros tres caballeros yacían muertos y, como no tenían alma, su magia volvió otra vez a la mente del amo.

Éste volvió entonces a su palacio mientras enviaba al último de sus guardianes en busca de un trasgo.

De piel parda oscura y de dos o tres pies de alto, los trasgos son una tribu de duendes que habitan en el País de los Elfos. En seguida resonó sin correteo en la sala del trono del que sólo puede hablarse en un canto, y un trasgo al que el trono iluminaba, estaba frente al rey sobre sus dos pies desnudos. El rey le dio el pergamino en el que estaba escrita la runa y le dijo:

—Ve de prisa y atraviesa el fin del mundo hasta que llegues a los campos que nadie aquí conoce; y encuentra a la Princesa Lirazel que ha ido a la morada de los hombres; dale esta runa que ella leerá y todo estará bien entonces.

Y el trasgo se alejó corriendo de allí.

Y pronto llegó el trasgo brincando a la linde del crepúsculo. Nada se movió ya entonces en el País de los Elfos; e inmóvil en el trono espléndido del que sólo puede hablarse en un canto, permaneció sentado el rey en silencioso duelo.

Capítulo VII

LA VISITA DEL TRASGO

Cuando el trasgo llegó a la barrera de crepúsculo, la atravesó ágil de un brinco, pero emergió con cautela en los campos que conocemos, porque tenía miedo de los perros. Deslizándose silencioso por entre las densas masas de crepúsculo, salió a nuestros campos tan quedamente que nadie lo habría visto a no ser que hubiera estado mirando de antemano el sitio donde apareció. Allí se detuvo unos instantes mirando a derecha e izquierda; y, al no ver perros, abandonó la linde de crepúsculo. Este trasgo no había estado nunca antes en los campos que conocemos y, sin embargo, sabía cómo evitar a los perros, porque el miedo a los perros es tan profundo y universal entre todos los que son menos que el Hombre, que parece haber traspasado nuestras fronteras y se hizo sentir aun en el País de los Elfos.

En nuestros campos era por entonces el mes de mayo y los ranúnculos se extendían ante el trasgo, un mundo amarillo mezclado con el pardo de las hierbas florecidas. Cuando vio tantos ranúnculos que resplandecían la riqueza de la Tierra lo llenó de asombro. Y no demoró en internarse entre ellos, que le teñían las pantorrillas de color amarillo al avanzar.

No se había alejado mucho del País de los Elfos, cuando se encontró con una liebre, que estaba echada cómodamente en un montón de hierba en el que tenía intención de pasar el tiempo mientras no tuviera nada que hacer.

Cuando la liebre vio al trasgo, se quedó allí sentada sin el menor movimiento ni la menor expresión; pensaba solamente.

Cuando el trasgo vio a la liebre, se le acercó de un brinco, se echó ante ella entre los ranúnculos y le preguntó el camino a la morada de los hombres. Y la liebre siguió pensando.

—Criatura de estos campos —repitió el trasgo— ¿dónde se encuentra la morada de los hombres?

La liebre se irguió entonces y avanzó hacia el trasgo, lo que la hizo parecer ridícula, pues no tenía al andar la gracia que tenía al correr o hacer cabriolas, y era mucho más baja por delante que por detrás. Puso su nariz junto a la cara del trasgo y los tontos bigotes se le estremecieron.

—Indícame el camino —dijo el trasgo.

Cuando la liebre advirtió que el trasgo no olía a nada que se pareciera a un perro permitió que la siguiera interrogando. Pero no comprendía el lenguaje del País de los Elfos, de modo que volvió a echarse mientras el trasgo hablaba.

Y por fin el trasgo se cansó de no obtener respuesta de modo que se puso en pie de un salto y gritó:

—¡Perros!

Y dejó allí a la liebre y se alejó correteando por entre los ranúnculos siguiendo cualquier camino que lo alejara del País de los Elfos. Y aunque la liebre no comprendiera del todo el lenguaje feérico, había habido una tal vehemencia en el tono con el que el trasgo había gritado «¡Perros!», que la aprensión ganó sus pensamientos; de modo que no tardó en abandonar el montón de hierba y se alejó saltando por el prado no sin antes mirar despectiva al trasgo; pero no iba muy de prisa, pues sólo avanza en tres patas; una de las dos traseras la llevaba recoda, lista para apoyarla en el suelo en caso de que realmente hubiera perros cerca. Y pronto hizo una pausa, se sentó, levantó las orejas, miró por sobre los ranúnculos y se quedó pensando profundamente. Y antes de que la liebre terminara de reflexionar sobre lo que pudiera haber querido decir el trasgo, éste ya había desaparecido de la vista y ésta había olvidado lo que había dicho.

Y no tardó en divisar el tejado de la casa de un granjero que se elevaba más allá de un seto. La casa parecía mirarlo a través de ventanitas bajo las tejas rojas.

—La morada de un hombre —dijo el trasgo.

Y, sin embargo, cierto instinto feérico parecía indicarle que no era allí donde había ido la Princesa Lirazel. No obstante, se acercó a la granja y empezó a observar a las aves de corral. Pero en ese momento lo vio un perro, uno que jamás había visto antes a un trasgo, y emitió un aullido canino de asombrada indignación; y reservando el resto del aliento para la caza, se lanzó en persecución del trasgo.

El trasgo empezó sin demora a elevarse por sobre los ranúnculos para volver a hundirse en ellos, casi como si hubiera tomado prestada la velocidad de la golondrina y cabalgara bajo por el aire. Semejante velocidad era una novedad para el perro, que trazó una larga curva tras el trasgo inclinándose al avanzar, con la boca abierta y silenciosa: mientras el viento, en una única corriente, lo bañaba ondulante desde el hocico hasta la cola. Las burladas esperanzas del perro eran las que inspiraran el trazado de la curva con el fin de atrapar al trasgo que avanzaba oblicuamente. No tardó en ponérsele por detrás; y el trasgo jugaba con la velocidad respirando el aire perfumado en amplias bocanadas sobre los ranúnculos. Ya no pensaba en el perro, pero no interrumpía el vuelo desencadenado por él por causa de la alegría que la velocidad le provocaba. Y esta extraña caza continuó por los campos, impulsado el trasgo por la alegría y el perro por el deber. Entonces, estimulado por la novedad, el trasgo unió los pies al saltar por sobre las flores y, aterrizando con las rodillas rígidas, cayó hacia adelante sobre las manos y dio una voltereta; y, enderezando los codos de pronto, se lanzó nuevamente al aire dando una voltereta tras otra. Lo hizo varias veces y el perro estaba cada vez más indignado pues sabía perfectamente que no era ese modo de avanzar por los campos que conocemos. Pero a pesar de su indignación, el perro se había dado cuenta de que nunca alcanzaría el trasgo, por lo que volvió a la granja y encontró allí a su amo al que se le acercó agitando la cola. Con tanta energía lo hizo, que el granjero supo que algo útil habría hecho, le acarició la cabeza, y allí terminó la cosa.

Y le convenía al granjero que el perro hubiera alejado al trasgo de su granja, pues si éste hubiera comunicado a sus animales algo del encanto del País de los Elfos, se habrían burlado del Hombre y el granjero habría perdido la lealtad de todos, salvo la inmutable de su perro.

Y el trasgo siguió avanzando alegremente sobre la punta de los ranúnculos.

No tardó en ver alzarse enteramente blanco entre las flores a un zorro que lo enfrentaba con el pecho y la garganta blancos y lo observaba. El trasgo se le acercó para echarle un vistazo. Y el zorro siguió observándolo porque los zorros lo observan todo.

Había vuelto hacía poco a esos campos cubiertos de rocío después de haberse trasladado furtivo en la noche a lo largo de la barrera de crepúsculo que separa esta Tierra del País de los Elfos. Aún merodea dentro de la linde misma, andando por entre el crepúsculo; y por eso algo del misterio del denso crepúsculo que separa este lugar del otro se adhiere a él y lo atrae a estos campos.

—Pues bien, Perro de Nadie —dijo el trasgo. Porque conocen al zorro en el País de los Elfos de verlo a menudo andar, a lo largo de sus fronteras; y ese es el nombre que allí le dan.

—Pues bien, Criatura-de-más-allá-de-la-Linde —dijo el zorro cuando le contestó. Porque conocía la lengua de los trasgos.

—¿Se encuentra la morada de los hombres cerca de aquí? —preguntó el trasgo.

El zorro, movió los bigotes frunciendo ligeramente el labio. Como todos los mentirosos, reflexionó antes de contestar, y aun a veces lograba que atinados silencios le valieran más que las palabras.

—Los hombres viven aquí y allí —dijo el zorro.

—Quiero su morada —dijo el trasgo.

—¿Para qué? —preguntó el zorro.

—Tengo un mensaje del Rey del País de los Elfos.

El zorro no manifestó respeto ni temor ante la mención de ese temido nombre, pero movió ligeramente la cabeza y los ojos para ocultar la reverencia que experimentaba.

—Si se trata de un mensaje —dijo—, su morada es allí.

Y apuntó con su larga nariz hacia Erl.

—¿Cómo sabré que me encuentro en ella cuando llegue? —preguntó el trasgo.

—Por el olor —dijo el zorro—. Es una gran morada de hombres y el olor es espantoso.

—Gracias, Perro de Nadie —dijo el trasgo. No era frecuente que agradeciera.

—Jamás me les acercaría —dijo el zorro— a no ser... —E hizo una pausa y reflexionó en silencio.

—¿A no ser por qué? —preguntó el trasgo.

—A no ser por las aves de corral.

Y se sumió en un grave silencio.

—Adiós, Perro de Nadie —dijo el trasgo, y con un salto mortal, se puso en camino hacia Erl.

Avanzando sobre los ranúnculos durante toda la mañana bañada en rocío, el trasgo había adelantado mucho el camino por la tarde, y antes del anochecer vio el humo y las torres de Erl. Todo estaba hundido en una hondonada; y los tejados, las chimeneas y las torres atisbaban por sobre el labio del valle y el humo pesaba sobre ellos en un aire de ensueños.

—La morada del hombre —dijo el trasgo. Luego se sentó en la hierba y se quedó mirándola.

En seguida se acercó más aún y volvió a mirar. No le gustaba el aspecto del humo ni la multitud de tejados; y, por cierto, el olor era espantoso. Había circulado cierta leyenda en el País de los Elfos acerca de la sabiduría del hombre; y fuera el que fuere el respeto que nos hubiera ganado la leyenda en la ligera mente del trasgo, toda se voló ahora rápidamente ante la vista del hacinamiento de casas. Y mientras las miraba pasó una niñita de cuatro años por un el sendero del campo que volvía a su casa en Erl al caer la tarde. Se miraron con ojos redondos.

—Hola —dijo la niña.

—Hola, Hija del Hombre —dijo el trasgo.

No hablaba en ese momento la lengua de los trasgos, sino la del País de los Elfos, lengua más amplia que debía hablar en presencia del rey; porque conocía la lengua del País de los Elfos aunque no era utilizada nunca en las moradas de los trasgos, que preferían la suya propia. En esos días también los hombres hablaban la lengua feérica, pues no eran tantas las lenguas que había por entonces, y los elfos y el pueblo de Erl utilizaban ambos la misma.

—¿Quién eres? —preguntó la niña.

—Un trasgo del País de los Elfos —respondió el trasgo.

—Eso me pareció —dijo— la niña.

—¿Dónde vas, Hija de los Hombres? —preguntó el trasgo.

—A las casas —replicó la niña.

—No tenemos ningún deseo de ir allí —dijo el trasgo.

—N-no —dijo la niña.

—Ven al País de los Elfos —dijo el trasgo.

La niña lo pensó un rato. Otros niños habían ido allí y los elfos siempre enviaban un sustituto en su reemplazo, de modo que nadie los echaba del todo en falta ni realmente se enteraba de la ausencia. Pensó un rato en el encanto silvestre del País de los Elfos y luego en su propio hogar.

—N-no —dijo la niña.

—¿Por qué no? —preguntó el trasgo.

—Mamá preparó un pastel de dulce esta mañana —dijo la niña. Y siguió con gravedad camino de su casa. Si no hubiera sido por ese pastel de dulce, habría ido al País de los Elfos.

—¡Dulce! —exclamó el trasgo con desprecio, y pensó en los pequeños lagos entre montañas del País de los Elfos, las grandes hojas de lirio que flotaban sobre sus aguas solemnes, los enormes lirios azules que lucían en la luz feérica sobre los profundos lagos verdes. ¡Por el dulce la niña los había desdeñado!

Luego volvió a pensar en su deber: el rollo de pergamino y la runa del Rey de los Elfos para su hija. Había llevado el pergamino en la mano izquierda mientras corría y en la boca mientras había dado saltos mortales sobre los ranúnculos. ¿Se encontraría la princesa allí? ¿O habría aun alguna otra morada del hombre? A medida que iba cayendo la tarde, fue acercándose furtivo más y más a las casas para escuchar sin ser visto.

Capítulo VIII

LA LLEGADA DE LA RUNA

Una soleada mañana de mayo, en Erl, la bruja Ziroonderel estaba sentada junto al fuego en la habitación del niño
del castillo preparándole la comida. Ya tenía por entonces tres
años y todavía Lirazel no le había dado nombre; porque temía
que algún espíritu de la tierra o el aire lo oyera y, de ser así, no
decía lo que temía entonces. Y Alveric había dicho que era
preciso darle un nombre.

Y el niño era capaz de hacer rodar velozmente un aro;
porque una noche de niebla la bruja había subido a su colina
y le había traído un halo de luna que había capturado por
hechizo y con él le había fabricado el aro y le había hecho una
vara de hierro de piedra de rayo con la cual echarlo a rodar.

Y ahora el niño esperaba su desayuno; y había un hechizo
sobre el umbral para mantener confortable la habitación que
Ziroonderel había puesto allí con una sacudida de su bastón
de ébano; mantenía alejados a los ratones, las ratas y los perros
y ni siquiera los murciélagos podían con él, y al vigilante gato
de la habitación del niño lo mantenía allí como en su casa: no
había cerradura que un cerrajero pudiera hacer más fuerte.

De pronto por sobre el umbral y por sobre el hechizo el
trasgo dio un salto mortal en el aire y cayó sentado. El rústi-
co reloj de madera de la habitación del niño, que colgaba
sobre el fuego detuvo su sonoro tic tac cuando entró; porque
el trasgo llevaba consigo un pequeño encantamiento contra el
tiempo, atado con una extraña hierba a uno de sus dedos,
para no marchitarse mientras permaneciera en los campos
que conocemos. Porque bien conocía el Rey de los Elfos

cómo volaban nuestras horas: cuatro años habían transcurrido en estos campos mientras él había descendido estruendoso los peldaños de bronce, enviado por el trasgo y para que se lo anudara a uno de sus dedos.

—¿Qué es esto? —dijo Ziroonderel.

Ese trasgo solía ser muy descarado, pero algo vio en los ojos de la bruja y tuvo miedo; y bien le valla, porque esos ojos habían mirado los del mismo Rey de los Elfos. Por tanto, como decimos en estos campos, jugó la mejor de sus cartas, y respondió:

—Un mensaje del Rey del País de los Elfos.

—¿De veras? —dijo la vieja bruja— Si, sí —añadió más bajo para sí—, debe de ser para mi señora. Por fuerza tenía que llegarle.

El trasgo estaba sentado aún en el suelo palpando el rollo de pergamino en el que estaba escrita la runa del Rey del País de los Elfos. Entonces, desde su cama donde esperaba el desayuno, el niño vio al trasgo y le preguntó quién era, de dónde venía y qué sabía hacer. Cuando el niño le preguntó qué sabía hacer, el trasgo dio un salto y brincó por la habitación como una mariposa nocturna en torno a una lámpara encendida. Desde, el suelo a las estanterías y de vuelta y arriba otra vez, saltaba como si volara; el niño batió palmas, el gato estaba furioso; la bruja levantó el bastón de ébano y recitó un hechizo contra los saltos, pero no le fue posible, contener al trasgo. Saltaba y brincaba y rebotaba mientras el gato siseaba todas las maldiciones de que es capaz la lengua felina, y Ziroonderel se exasperaba no sólo por el fracaso de su magia, sino porque con mera alarma humana, temía por sus copas y sus platillos; y mientras, el niño, a voz en cuello, pedía más. Y de pronto el trasgo recordó su recado y el terrible pergamino de que era portador.

—¿Dónde está la Princesa Lirazel? —le preguntó a la bruja.

Y la bruja le señaló el camino hacia la torre de la princesa, porque sabía que no tenía medios ni poder para estorbar la runa del Rey del País de los Elfos. Cuando el trasgo se volvía para irse, Lirazel entró en la habitación. Él hizo una profunda reverencia ante la gran señora del País de los Elfos y, perdido en un instante todo su atrevimiento, echó una rodilla en tierra ante el resplandor de su belleza y le entregó la runa del Rey del País de los Elfos. El niño le pedía a su madre a voz en cuello que convenciera al trasgo de seguir saltando cuando ella cogió el rollo en su mano; el gato, con el lomo arqueado, esperaba alerta; Ziroonderel guardaba silencio.

Y entonces el trasgo pensó en los verdes lagos del País de los Elfos, en los bosques que los trasgos conocen; en el milagro de las flores imperecederas que el tiempo no ha jamás tocado; en los profundos colores y en la calma perpetua: había cumplido con su recado y estaba cansado de la Tierra.

Por un instante nada se movió allí, salvo el niño que exigía nuevas piruetas del trasgo y agitaba los brazos: Lirazel estaba con el rollo feérico en la mano, el trasgo arrodillado ante ella, la bruja inmóvil, el gato vigilante y feroz, aun el reloj estaba acallado. Luego la princesa se movió, el trasgo se puso en pie, la bruja suspiró y el gato abandonó su actitud de alerta cuando el trasgo se alejó brincando. Y aunque el niño pedía el regreso del trasgo, éste no le hizo caso, sino que descendió de prisa la gran escalera de caracol, salió por la puerta de un salto y se precipitó hacia el País de los Elfos. Cuando el trasgo hubo traspasado el umbral, el reloj reinició su tic tac.

Lirazel miró el rollo y miró a su hijo, y no desenrolló el pergamino, sino que se volvió llevándoselo consigo, se dirigió a su cámara lo guardó en un cofrecito y lo dejó allí sin haberlo leído. Porque sus temores le indicaban que la más potente runa de su padre, la que tanto había temido al huir de la torre plateada mientras oía sus pies atronadores ascender los peldaños de bronce, había cruzado la frontera de crepúsculo escrita en el pergamino, sus ojos la verían en el momento mismo que lo desenrollara y se la llevaría de allí flotando por el aire.

Cuando la runa quedó guardada y asegurada en el cofrecito, se dirigió a Alveric para contarle del peligro que desde tan cerca, la acechaba. Pero Alveric estaba disgustado porque ella no le daba nombre al niño y de inmediato la instó a que lo hiciera. De modo que ella, por fin, le sugirió un nombre; y era ese un nombre tal que nadie de estos campos podría nunca pronunciar, un nombre feérico lleno de misterio, constituido de sílabas como el canto de los pájaros por la noche: Alveric de ningún modo quiso aceptarlo. Y esa ocurrencia le vino, como todas las que ella tenía, no de algo habitual de estos campos nuestros, sino del otro lado de la linde del País de los Elfos con toda su desbocada imaginación que rara vez visita nuestros campos. Y a Alveric lo molestaban estos caprichos, porque nunca había habido nada semejante en el Castillo de Erl: nadie era capaz de interpretárselos ni de darle consejo. Procuraba que ella se guiara de acuerdo con las viejas costumbres; ella esperaba sólo que alguna desbocada fantasía le llegara desde el sudeste. Él le presentaba argumentos razonables a los que tanto valor atribuye la gente de aquí pero ella nada quería saber de la razón. De modo que cuando se separaron, nada le había dicho del peligro llegado del País de los Elfos.

Subió en cambio a su torre y buscó el cofrecito que brillaba allí en la escasa luz tardía; y se apartaba de él y a menudo

volvía a mirarlo; mientras, la luz descendía en los campos
llegaba el crepúsculo y todo se desvanecía en la penumbra. Se
sentó entonces junto a la ventana abierta sobre las colinas del
este, por sobre cuyas curvas observaba las estrellas. Las observó durante tanto tiempo que las vio cambiar de sitio.
Porque de todo lo que había visto desde que llegara a estos
campos nuestros, nada la había admirado tanto como las estrellas. Amaba su gentil belleza; sin embargo, se entristeció
mientras las miraba anhelante, porque Alveric le había dicho
que no debía venerarlas.

   ¿Cómo, si no le era posible venerarlas, podía reconocerles
lo que se les debía, agradecerles su belleza, alabar su jocunda
serenidad? Y luego pensó en su niño, y vio en ese momento
a Orión y, desafiando entonces a todos los espíritus celosos
del aire y contemplando a Orión, a quien jamás debía venerar le ofreció los días de su hijo a ese precipitado cazador y
dio a su niño el nombre de esas espléndidas estrellas.

   Y cuando Alveric subió a la torre, le hizo conocer su deseo,
y él de buen grado aceptó que se le diera el nombre de Orión,
porque en todo el valle se valoraba mucho caza. Y a Alveric le
volvió la esperanza, a la que nunca quiso renunciar, de que en
adelante ella se mostraría razonable en otras cosas, se dejaría
guiar por la costumbre, haría lo que los demás y abandonaría
los caprichos y las fantasías que le venían del otro lado de la
linde del País de los Elfos. Y le pidió que venerara las cosas
sagradas del Libertador. Porque jamás les había concedido ella
lo que se les debía, y no sabía qué era más venerable, el candelabro o la campana, y jamás aprendía nada de lo que Alveric le explicaba.

   Y ahora ella le contestaba con complacencia y su marido
pensó que todo estaba bien, pero sus pensamientos la arras-

traban lejos junto con Orión tampoco se demoraba nunca mucho en las cosas graves, ni podía demorarse más en ellas que las mariposas en la sombra.

Toda esa noche la runa del Rey del País de los Elfos estuvo encerrada en el cofrecito.

Y a la mañana siguiente Lirazel apenas se acordó de la runa, porque fueron con el niño al lugar sagrado del Libertador; y Zironderel fue con ellos, pero los aguardó afuera, y también acudió la gente de Erl, tantos como pudieron abandonar los asuntos del hombre en los campos; y eran ellos todos los que habían constituido el parlamento cuando fueron ante el padre de Alveric en su profunda estancia roja. Y todos ellos se alegraron cuando vieron al niño y pudieron observar su fuerza y cuánto había crecido; y, susurrando en voz baja en el recinto sagrado, predijeron que todo sucedería como lo habían planeado. Y el Libertador avanzó y, de pie en medio de sus cosas sagradas, le dio al niño que tenía por delante el nombre de Orión, aunque habría preferido darle el nombre de alguno de los que él sabía benditos. Y se regocijó de ver al niño y de darle allí un nombre; porque por la familia que habitaba en el castillo de Erl, toda esa gente contaba las generaciones y miraba transcurrir las edades, como a veces nosotros vemos pasar las estaciones por algún árbol desde hace mucho tiempo conocido. Y él mismo le hizo una reverencia a Alveric y se mostró muy cortés con Lirazel; sin embargo, la cortesía que manifestaba a la princesa no le venía, del corazón, porque en su corazón no la tenía en más que a una sirena que hubiera abandonado el mar.

Y así, pues el niño recibió el nombre de Orión. Y toda la gente se regocijó cuando salió en compañía de sus padres y se unieron a Ziroonderel en el límite del jardín sagrado. Y Alveric, Lirazel, Ziroonderel y Orión volvieron todos andando al castillo.

Y todo ese día Lirazel no hizo nada que asombrara a nadie y se dejó gobernar por la costumbre y los usos de los campos que conocemos. Sólo cuando aparecieron las estrellas y Orión brilló supo ella que su esplendor no había recibido lo que se le debía, y que la gratitud que sentía por Orión necesitaba expresión. Se sentía agradecida por su refulgente hermosura que animaba a nuestros campos, y agradecida por la protección que, estaba segura, brindaba a su hijo contra los espíritus celosos del aire. Todas sus gracias inexpresadas de tal modo le quemaban el corazón, que de pronto se puso en pie, abandonó su torre y salió afuera bajo el cielo estrellado; levantó la cara a las estrellas y al lugar que ocupaba Orión y se quedó muda aunque las gracias le temblaban en los labios; porque Alveric le había dicho que no se debía rezar a las estrellas. Con la cara vuelta a lo alto, hacia toda esa hueste errante, se mantuvo largo tiempo silenciosa, obediente a Alveric; entonces agachó la cabeza y vio un pequeño estanque que resplandecía en la noche, en el que la cara de las estrellas brillaba.

—Rezar a las estrellas —se dijo en la noche— sin duda no está bien. Estas imágenes del agua no son las estrellas. Rezaré a sus imágenes y las estrellas lo sabrán.

Y de rodillas entre las hojas de los lirios, rezó al borde del estanque y agradeció a la imagen de las estrellas por la alegría que le había sido concedida esa noche, cuando las constelaciones brillaban en su múltiple majestad y avanzaban como un ejército vestido de malla de plata desde victorias desconocidas a la conquista en guerras distantes. Bendijo, agradeció y alabó a esos brillantes reflejos que lucían en el estanque, y les, pidió que expresaran su agradecimiento a Orión al que no podía rezar. Así la encontró Alveric, arrodillada, inclinada en la oscuridad, y le dirigió amargos reproches. Estaba venerando a las estrellas, dijo, que no estaban en lo alto con ese fin. Y ella dijo que sólo suplicaba a sus imágenes.

No nos es difícil comprender los sentimientos de Alveric: la extrañeza de Lirazel, sus actos inesperados, su oposición a las cosas establecidas, su desprecio por la costumbre, su díscola ignorancia perturbaban cada día alguna tradición venerada. Cuanto más romántica había sido allá lejos, del otro lado de la frontera, como lo cuentan la leyenda y el canto, tanto más difícil le era ocupar el lugar otrora ocupado por las señoras del castillo, versadas en todos los usos de los campos que conocemos. Y Alveric pretendía que cumpliera con deberes y siguiera costumbres que le eran tan nuevos como las estrellas titilantes.

Pero Lirazel sentía sólo que las estrellas no recibían lo que se les debía, y que la costumbre o la razón o lo que fuere que los hombres valoraban, debería exigir que se les agradeciera su belleza; y ella ni siquiera les había agradecido a ellas, sino que había dirigido sus súplicas a las imágenes reflejadas en el estanque.

Esa noche pensó en el País de los Elfos, donde todo correspondía a su belleza, donde nada cambiaba y no había costumbres extrañas ni extrañas magnificencias como esas estrellas nuestras a las que nadie concedía lo que se les debía. Pensó en los prados feéricos, en los altos macizos de flores y en el canto.

Todavía en la oscuridad del cofrecito la runa aguardaba su momento.

Capítulo IX

LIRAZEL DESAPARECE

Y los días transcurrieron, el verano pasó sobre Erl, el sol que había viajado hacia el Norte, volvió a dirigirse hacia el Sur, se acercaba el tiempo en que las golondrinas abandonan, estos tejados y Lirazel no había aprendido nada. No había vuelto a rezar a las estrellas ni suplicado a sus imágenes, pero no había aprendido costumbres humanas y no entendía por qué el amor y la gratitud que experimentaba por las estrellas debían mantenerse inexpresados. Y Alveric no sabía que llegaría el momento en que una simple trivialidad los separaría por completo.

Y entonces, un día, aún con esperanzas, la llevó a la casa del Libertador para enseñarle cómo venerar las cosas sagradas. Y complacido el buen hombre trajo su candelabro y su campana, el águila de bronce que sostenía su libro cuando leía el pequeño cuenco simbólico con agua perfumada y los apagadores de plata con que extinguía su vela. Y le explicó con claridad y sencillez, como ya lo había hecho antes, el origen, la significación y el misterio de todas estas cosas, y por qué el cuenco era de bronce y el apagador de plata, y qué significaban los símbolos grabados en el cuenco. Con adecuada cortesía le explicó estas cosas, aun con bondad; y, sin embargo, había en su voz mientras le hablaba, algo que la mantenía a distancia; y ella sabía que le hablaba como alguien seguro en la costa que clama a una sirena en mares peligrosos.

Al volver al castillo, las golondrinas se habían agrupado para partir, posadas en hileras a lo largo de los muros. Y Lizarel había prometido venerar a los objetos sagrados del Libertador, como la sencilla gente del valle de Erl, temerosa, de la campana; y una última esperanza abrigaba la mente de Alveric: que todo iría bien al fin y al cabo, y durante varios días ella recordó lo que el Libertador le había dicho.

Y un día, al abandonar muy tarde el cuarto del niño y pasar junto a altas ventanas camino de su torre, recordó que no debía venerar a las estrellas y trató de evocar los objetos sagrados del Libertador y de recordar todo lo que se le había dicho de ellos. Le parecía tan difícil venerarlos tal como se exigía. Sabía que antes de que transcurrieran muchas horas todas las golondrinas habrían partido; y con frecuencia, cuando la dejaban, su estado de ánimo cambiaba; y temía que pudiera olvidar, para no volver a recordarlo, cómo debía venerar los objetos sagrados del Libertador.

Volvió a salir a la noche sobre la hierba y se dirigió al sitio por donde fluía un arroyuelo y recogió algunos grandes guijarros planos que ella sabía donde encontrar, tratando de mantener la mirada apartada de la imagen de las estrellas. De día las piedras brillaban con gran belleza en el agua, rojizas y malva; ahora todas parecían oscuras. Las recogió y las extendió por el prado; le encantaban esas suaves piedras planas, pues, de algún modo le recordaban las rocas del País de los Elfos.

Las colocó en fila: ésta por el candelabro, aquélla por la campana, la de más allá por el cuenco sagrado.

—Si puedo venerar estas encantadoras piedras como objetos que deben ser venerados —dijo—, podré entonces entonces venerar los objetos del Libertador.

Luego se arrodilló ante las grandes piedras planas y les rezó como si fueran objetos sacramentales.

Y Alveric, al verla en la noche profunda, preguntándose qué capricho la habría impulsado, oyó su voz en el prado que entonaba oraciones como las que se dirigen a los objetos sagrados.

Cuando vio las cuatro piedras planas a las que rezaba inclinada ante ellas en la hierba, dijo que no peor que esto eran los más oscuros actos de los paganos. Y ella dijo:

—Estoy aprendiendo a venerar los objetos sagrados del Libertador.

—Ese es el arte de los paganos —dijo él.

Ahora bien, de todo lo que los hombres temían en el valle de Erl, lo que más temían era el arte de los paganos, de los que nada sabían, salvo que sus usos eran oscuros. Y él habló con el enfado con que los hombres siempre hablaban allí de los paganos. Y su enfado le traspasó el corazón a Lirazel, porque no hacía sino aprender a venerar los objetos sagrados para complacerlo y, sin embargo, le había hablado de ese modo.

Y Alveric no pronunció las palabras que debieron haber sido dichas para apartar de sí el enfado y tranquilizarla; porque ningún hombre, pensó neciamente, debe comprometerse en asuntos que atañen al paganismo. De modo que Lirazel volvió sola y entristecida a su torre. Y Alveric se quedó atrás para arrojar lejos las cuatro piedras planas.

Y las golondrinas partieron y días desdichados se sucedieron. Y un día Alveric le pidió que venerara los objetos sagrados del Libertador y ella se había olvidado por completo cómo hacerlo. Y él se refirió nuevamente a las artes del paganismo. El día era brillante, los álamos blancos estaban dorados y todos los temblones, rojos.

Entonces Lirazel fue a su torre y abrió el cofrecito que brilló en la mañana en la clara luz otoñal, y sostuvo en la mano la runa del Rey del País de los Elfos; la llevó consigo a través del vestíbulo de altas bóvedas, llegó a otra torre y subió las escaleras a la habitación de su hijo.

Y allí se quedó todo el día jugando con el niño con el rollo todavía apretado en la mano; y aunque por momentos jugaba alegremente, había sin embargo en sus ojos una calma extraña que Ziroonderel advirtió cavilosa. Y cuando hubo bajado el sol y el niño estuvo en su cama, se sentó a su lado con aire solemne mientras le contaba cuentos infantiles. Y Ziroonderel, la sabia bruja, a pesar de toda su sabiduría, sólo adivinaba lo que sucedería y no sabía cómo hacer que otra cosa sucediera.

Y antes de ponerse el sol, Lirazel besó al niño y desenrolló el pergamino del Rey de los Elfos. Sólo por capricho lo había sacado del cofre en que estaba guardado, y el capricho habría podido olvidarse y quizás ella no habría desenrollado el pergamino, sólo que lo tenía allí, en la mano. En parte por capricho, en parte por curiosidad y en parte por antojos demasiado vagos como para darles nombre, sus ojos se deslizaron por las palabras del Rey de los Elfos, escritas en curiosos caracteres negros como el carbón.

Y cualquiera que fuere la magia contenida en la runa, de la que nada puedo decir (y una espantable magia había en ella), la runa había sido escrita con un amor más fuerte que magia alguna, y en esos caracteres místicos resplandecía el amor que el Rey de los Elfos sentía por su hija y había mezclados en esa potente runa, dos poderes, el de la magia y el del amor, el más grande de los poderes que hay más allá de la linde de crepúsculo con el más grande de los que hay en los campos que conocemos. Y si el amor de Alveric hubiera podido detenerla, habría tenido que confiar sólo en él, porque la runa del Rey de los Elfos era más poderosa que los objetos sagrados del Libertador.

No bien hubo Lizarel leído la runa del pergamino, las fantasías del País de los Elfos empezaron a rebasar la frontera. Algunas había que habrían hecho que el empleado de una oficina de la ciudad abandonara su despacho para ir a bailar a orillas del mar; y otras habrían hecho que los funcionarios de un banco abrieran puertas y cofres y se echaran a andar hasta llegar al verde descampado y a los brazos de las colinas; y otras habrían convertido a un hombre que atiende sus negocios en poeta.

Eran poderosas fantasías que el Rey de los Elfos había convocado por la fuerza de su runa mágica. Y Lirazel se estaba allí sentada con la runa en la mano desvalida entre las tumultuosas fantasías venidas del País de los Elfos. Y a medida que las fantasías se precipitaban, cantaban y llamaban cada vez más abundantes por sobre las barreras, concentradas todas en una única pobre mente, su cuerpo se iba haciendo más y más ligero. Sus pies a medias se apoyaban en el suelo y a medias flotaban en el aire; la Tierra apenas la retenía, de modo que estaba convirtiéndose en una criatura de ensueños. Ni su amor por la Tierra, ni el de los hijos de la Tierra por ella, eran ya capaces de detenerla allí.

Y le sobrevinieron entonces recuerdos de su sempiterna niñez junto a los lagos del País de los Elfos a la vera del bosque profundo, a esos delirantes prados o en el palacio del que no puede hablarse salvo en un canto. Vio todas esas cosas, con tanta claridad como vemos nosotros conchillas en el agua cuando miramos, a través del claro hielo, el fondo de algún lago dormido, algo en penumbra en la región más allá de la barrera de hielo; del mismo modo sus recuerdos lucían algo en penumbra desde más allá de la frontera del País de los Elfos. Le llegaban extraños sonidos quedos de las criaturas feéricas, los perfumes flotaban de las flores milagrosas losas que resplandecían junto a los prados que ella conocía, canciones apenas audibles volaban por sobre la barrera hasta ella, voces, melodías y recuerdos fluían en el crepúsculo, todo el País de los Elfos la llamaba. Entonces, medida y resonante y extrañamente cercana, oyó la voz de su padre.

Se puso en pie en seguida y la tierra había perdido el poder de retención que sólo tiene sobre las cosas materiales y, convertida en criatura de sueños, fábula y fantasía, salió flotando de la habitación; y Ziroonderel no tenía poder de retenerla con hechizo alguno, ni ella misma tenía siquiera el poder de volverse y mirar a su hijo mientras se alejaba flotando.

Y en ese momento sopló un viento del noroeste que penetró los bosques y desnudó las ramas doradas; y bailó sobre los bajos conduciendo a una muchedumbre de hojas de oro y escarlata, que había temido la llegada de este día, pero que bailaba ahora una vez venido; y con un alboroto de danza y esplendidez de color, altas a la luz del sol, que ya se había puesto en los campos, partieron juntos viento y hojas. Con ellos partió Lirazel.

Capítulo X

LA RETIRADA DEL PAÍS DE LOS ELFOS

A la mañana siguiente Alveric subió a la torre al encuentro de la bruja Ziroonderel cansado y frenético después de haber buscado toda la noche por lugares extraños a Lirazel. Toda la noche había tratado de imaginar qué fantasía la habría llamado y a dónde podría haberla arrastrado; había buscado por el arroyuelo donde ella le había rezado a las piedras y por el estanque donde les había rezado a las estrellas; había llamado su nombre en cada una de las torres y lo había llamado también en la noche profunda, pero sólo el eco le había respondido; de modo que por último había recurrido a la bruja Ziroonderel.

—¿A dónde? —preguntó, y nada más dijo para que el niño no tuviera conocimiento de sus temores. Pero el niño los conocía.

Y Ziroonderel luctuosa, sacudió la cabeza.

—Por el camino de las hojas —dijo—. El camino de toda belleza.

Pero Alveric no se quedó sino para escuchar las seis primeras palabras; porque se fue con la inquietud con que había venido, apresurado escaleras abajo y salió afuera, a la mañana ventosa, para ver qué camino habían cogido esas hojas gloriosas.

Y unas pocas hojas que habían quedado adheridas a las ramas frías más tiempo, una vez partida la alegre compañía de sus camaradas, estaban también ahora en el aire, últimas y solitarias; y Alveric vio que se dirigían al sudeste, hacia el País de los Elfos.

De prisa entonces metió la espada mágica en su amplia, vaina de cuero; y con escasas provisiones se apresuró por los campos tras las últimas hojas, cuya gloria otoñal lo guiaba, como múltiples causas, en sus días postreros, todas espléndidas y permitidas conducen a toda clase de hombres.

Y así llegó a los campos de las tierras altas con la hierba grisácea de rocío; y el aire resplandecía en la luz del sol, dichoso con las últimas hojas, pero cierta melancolía parecía habitar el mugido de las vacas.

En la calma de la brillante mañana, recorrida por el viento errante del noroeste, Alveric no lograba calma alguna, ni por un instante abandonó la prisa de alguien que ha perdido algo de pronto: así era la rapidez de sus movimientos y el frenesí de su aire. Observó todo el día los claros y anchos horizontes del sudeste, hacia donde se dirigían las hojas; y al caer la noche buscó las Montañas Feéricas, graves e inmutables o iluminadas de ninguna luz que conozcamos, del color de pálidos nomeolvides. Intentó pero no le fue posible divisarlas.

Y entonces vio la casa del viejo talabartero que había fabricado la vaina de su espada; y al verla rememoró los años, transcurridos desde la tarde en que por primera vez la había visto, aunque nunca supo cuántos habían sido, ni tenía posibilidades de saberlo, pues nadie había concebido nunca un cálculo exacto con el cual estimar la acción del tiempo en el País de los Elfos. Buscó luego una vez más las celestes Montañas Feéricas, recordando perfectamente dónde se encontraban, en una prolongada y grave cadena, más allá de un punto por sobre el tejado del talabartero, pero no divisó ni rastros de ellas. Entonces entró en la casa y el anciano todavía se encontraba allí.

El talabartero había envejecido mucho; aun la mesa en la que trabajaba parecía mucho más vieja. Saludó a Alveric, pues recordaba quién era, y Alveric preguntó por la mujer del anciano.

—Murió hace ya mucho —dijo. Y una vez más sintió Alveric el vuelo frustrante de esos años, que volvía aún más temible el País de los Elfos al que se dirigía; no obstante ni se le ocurrió volver, ni por un instante refrenó la prisa impa-

ciente que lo empujaba. Pronunció algunas pocas palabras
formales sobre la pérdida de la anciana, sufrida ya hacía tantos
años. Luego:

—¿Dónde están las Montañas Feéricas —preguntó—, los
pálidos picos celestes?

Lentamente la cara del anciano adquirió una expresión
como si jamás las hubiera visto, como si Alveric, por ser
instruido, hablara de cosas que de ningún modo podía saber
el viejo talabartero. No, no sabía, dijo. Y Alveric comprobó
que ese día como hacía ya tantos años atrás, el anciano se
negaba a hablar del País de los Elfos. Pues bien, la linde
se encontraba sólo a algunas yardas de distancia de cualquier
manera; la cruzaría y le preguntaría por el camino a las
criaturas feéricas, sino le era posible, guiarse por las montañas. El anciano le ofreció comida, y él no había comido en
todo el día; pero en su prisa, sólo le preguntó una vez más
por el País de los Elfos, y el anciano le dijo humildemente
que de esas cosas él no sabía nada. Entonces Alveric se alejó
a grandes pasos y llegó al campo por él conocido que, según
recordaba, estaba dividido por la nebulosa frontera de crepúsculo. Y, en verdad, no bien llegó al campo, vio a todas las
setas inclinadas en una dirección y esa era la dirección que él
emprendía; porque así como los espinos se apartan todos del
mar, las setas y todas plantas que tenga un cierto halo de
misterio, como las dedaleras, los verbascos y ciertas especies
de orquídeas cuando crecen cerca, se inclinan todas hacia el
País de los Elfos. De este modo, uno puede saber antes de
haber oído el murmullo de las olas o de haber adivinado
la influencia de las criaturas mágicas, según sea el caso, que
ha llegado al mar o a la linde del País de los Elfos. Y en el
aire, por sobre su cabeza, Alveric vio pájaros dorados, y Al-

veric supuso que había habido una tormenta en el País de los Elfos que los había arrastrado por sobre la barrera desde el sureste, aunque en los campos que conocemos el viento soplaba desde el noroeste. Y siguió adelante, pero la linde no se encontraba allí y cruzó el campo como cualquiera de los campos que conocemos y, sin embargo, no llegó a las colinas del País de los Elfos.

Se apresuró entonces Alveric ganado de una nueva impaciencia, con el viento noroeste por detrás. Y la tierra empezó a mostrarse despojada y guijarrosa, opacada, sin flores, sin sombra sin color, sin ninguna de esas cosas con que se recuerda y se tiene la imagen de un sitio cuando uno ya se ha ausentado de él; todo estaba desencantado ahora. Alveric vio a un pájaro dorado en lo alto, que volaba veloz hacia el sureste; y siguió su vuelo en la esperanza de ver pronto las montañas del País de los Elfos que, suponía, estarían meramente ocultas por alguna niebla mística.

Pero aún el cielo otoñal estaba brillante y claro y todo el horizonte llano, y ni rastros se divisaban todavía de las Montañas Feéricas. Y no por esto se enteró que el País de los Elfos se había retirado. Pero cuando vio en la desolada planicie guijarrosa, inalterado por el viento del noroeste, y hermosamente florecido en el otoño, un árbol de manzanilla que recordaba desde hacía mucho tiempo atrás, emblanquecido de capullos que habían alegrado un día de primavera de su lejana infancia, supo que el País de los Elfos había estado allí y que debía de haberse retirado, aunque no sabía cuánto. Porque es cierto, y Alveric lo sabía, que así como el encanto que anima gran parte de nuestra vida, especialmente en los años juveniles, proviene de rumores que nos llegan del País de los Elfos por intermedio de varios mensajeros (la bendición y la paz sean con ellos), del mismo modo vuelven de nuestros campos al País de los Elfos, para formar parte de su misterio, múltiples recuerdos que hemos perdido y juguetes queridos que otrora hemos atesorado. Y esto forma parte de la ley de flujo y reflujo que la ciencia rastrea en todas las cosas; así, la luz creó los bosques de carbón, y el carbón devuelve la luz; así, los ríos colman el mar y el mar devuelve agua a los ríos; así, todas las cosas dan y reciben aun la Muerte.

Luego Alveric vio en el seco terreno llano un juguete abandonado que todavía recordaba, que muchos, muchos años atrás (¿cómo podía saber cuántos?) había sido suyo cuando niño, torpemente tallado en madera; y un desdichado día se le había roto y otro desdichado día había sido desechado. Y ahora lo veía allí, no sólo entero y nuevo, sino dotado de misterio, de esplendor y de encanto: el radiante objeto transfigurado que su infancia había conocido. Estaba allí dejado del País de Elfos como las cosas maravillosas del mar quedan a veces desoladas en arenas baldías cuando el mar es una lejana masa azul con un borde de espuma.

Tétrica, despojada de encanto, estaba la planicie de la que el País de los Elfos se había retirado, aunque aquí y allá una y otra vez, Alveric veía cosillas abandonadas que había perdido en la infancia, caídas a través del tiempo a la imperecedera región donde no transcurren las horas del País de los Elfos para formar parte de su gloria, y, dejadas ahora solas por su inmensa retirada. Viejas melodías, viejas canciones, viejas voces también resonaban allí, cada vez más débiles, como si no pudieran vivir mucho tiempo en los campos que conocemos.

Y al ponerse el Sol, un resplandor malva rosado en el este que a Alveric le pareció precioso en demasía para la Tierra lo impulsó a seguir aún adelante; porque le pareció el reflejo sobre el cielo del fulgor del País de los Elfos. De modo que siguió, teniendo esperanzas de encontrarlo, horizonte tras horizonte; y llegó la noche con todas las estrellas camaradas de la Tierra. Y sólo entonces abandonó por fin Alveric la frenética inquietud que lo había guiado desde la mañana; y envolviéndose en un manto que llevaba, comió los alimentos que tenía en un saco y durmió un sueño agitado, solo, con otras cosas también abandonadas.

En los primeros instantes del amanecer, su impaciencia lo despertó, aunque las nieblas de octubre ocultaban la luz. Comió los últimos alimentos que le quedaban y luego avanzó por el espacio gris.

Ni el menor sonido de las cosas de los campos que conocemos le llegaba; porque los hombres jamás recorrían ese sitio cuando el País de los Elfos se encontraba allí y sólo Alveric recorría ahora esa llanura desolada. Se había trasladado más allá del sonido del canto del gallo de las confortables casas de los hombres y marchaba a través de un extraño silencio, quebrado sólo de vez en cuando por sones quedos de canciones perdidas dejadas por la retirada del País de los Elfos, y eran más débiles ahora que lo que habían sido el día anterior. Y cuando brilló el alba, Alveric vio un tan gran esplendor en el cielo, que resplandecía verde y bajo hacia el sureste, que creyó una vez más un reflejo del País de los Elfos, y se apresuró en la esperanza de encontrarlo pasado el próximo horizonte. Y pasó el próximo horizonte, y seguía la planicie guijarrosa sin el menor rastro de las cumbres celestes de las Montañas Feéricas.

Si el País de los Elfos se encontraba siempre más allá del próximo horizonte iluminando las nubes con su resplandor y se trasladaba al acercarse él, o si había partido días o años atrás, no lo sabía, pero aun así, seguía avanzando. Y llegó por fin a una loma seca y sin hierbas, meta de sus ojos y sus esperanzas desde hacía ya mucho, y desde ella miró a lo lejos la desolada planicie que se extendía hasta el borde del cielo sin que se divisara el menor signo del País de los Elfos, ni señas de montaña alguna: aun los pequeños tesoros de la memoria dejados atrás por la marea en retirada estaban marchitándose para convertirse en cosas cotidianas. Entonces Alveric desenvainó su espada mágica. Pero aunque la espada tenía poder contra el encantamiento, no le había sido concedido poder para recobrar un encantamiento perdido; y la tierra desolada seguía la misma a pesar de lo mucho que agitó la espada: pedregosa, desierta, opacada e inmensa.

Por un breve tiempo siguió adelante, pero en esa llana tierra el horizonte se trasladaba imperceptible junto con él y los picos de las Montañas Feéricas seguían ocultos; y en esa llanura lóbrega no tardó en descubrir, como tarde o temprano le es preciso hacerlo al hombre, que había perdido el País de los Elfos.

Capítulo XI

LA PROFUNDIDAD DE LOS BOSQUES

En esos días Ziroonderel entretenía al niño con hechizos y pequeñas maravillas y él, por un rato se contentaba. Y luego en silencio, trataba de imaginar por sí mismo dónde se encontraría su madre. Escuchaba todo lo que se decía y pensaba largo tiempo en ello.

Y los días transcurrían de este modo y él sólo sabía que ella había partido; sin embargo, no decía una palabra de lo que ocupaba sus pensamientos. Y luego llegó a saber por lo que se decía o se callaba, por miradas, ademanes o movimientos de las cabezas, que un misterio rodeaba la partida: de su madre. Pero en qué consistía este misterio no lo sabía, a pesar de todos los misterios que le pasaban por la mente cuando trataba de concebirlo. Y por fin, un día, se lo preguntó a Ziroonderel.

Y aunque ella en su mente había almacenado años y años de sabiduría, y aunque había temido a esta pregunta, no sabía que hubiera rondado la mente del niño durante días enteros; y no encontró mejor respuesta en toda su sabiduría que decirle que su madre se había ido a los bosques. Cuando el niño oyó esto, decidió ir a los bosques en su busca.

Ahora bien, en sus paseos junto con Ziroonderel por el pequeño villorrio de Erl, Orión veía pasar a los aldeanos, al herrero en su herrería, a la gente en el umbral de sus casas, a los hombres que llegaban al mercado desde campos distantes; y los conocía a todos. Y sobre todo conocía a Threl con sus pies silenciosos, y a Oth con sus ágiles miembros porque a ambos le contaban cuentos cuando los encontraba en las tierras altas y en los bosques profundos sobre la colina, y en los paseos que daba con su aya, a Orión le encantaba escuchar cuentos sobre sitios lejanos.

Había un viejo mirto junto a un pozo donde Ziroonderel solía sentarse las tardes de verano mientras Orión jugaba en la hierba; y Oth cruzaba la hierba a veces con su curioso arco, cuando partía al caer la tarde; y a veces era Threl el que pasaba por allí; y cada vez que Orión los veía, los detenía y les pedía que le contaran un cuento de los bosques. Y si era Oth, le hacía una hermosa reverencia a Ziroonderel con temerosa veneración y contaba algún cuento sobre lo que hacían los ciervos y Orión le preguntaba por qué. Entonces en la cara de Oth aparecía una expresión como si estuviera recordando cuidadosamente lo sucedido hacía mucho tiempo atrás, y al cabo de un momento de silencio le daba una antigua causa de lo que fuere que el ciervo hiciera, que explicaba el origen de la costumbre.

Si era Threl el que venía por la hierba, no parecía ver a Ziroonderel y contaba el cuento de los bosques más de prisa en voz baja y seguía adelante dejando tras de sí, sentía Orión, la tarde colmada de misterio. Contaba cuentos sobre toda clase de criaturas; y los cuentos eran tan extraños que sólo se los contaba al joven Orión porque, le explicaba, había mucha gente incapaz de creer la verdad, y no quería que llegaran a oídos de gente semejante. En una ocasión Orión había ido a su casa, una choza oscura llena de pieles: toda clase de pieles colgaban de las paredes, zorros, tejones y martas; y había otras más pequeñas amontonadas en los rincones. Para Orión la choza de Threl contenía más maravillas que ninguna otra cosa que hubiera visitado nunca.

Pero ahora era otoño y el muchacho y su aya ya no veían a Oth y a Threl con tanta frecuencia; porque en las tardes neblinosas con la amenaza de la helada en el aire, ya no se sentaba junto al mirto. No obstante Orión se mantenía vigilante en sus cortos paseos; y un día vio a Threl que se alejaba de la aldea de cara a las tierras altas. Y llamó a Threl, y Threl se quedó inmóvil algo desconcertado porque no se daba a sí mismo importancia bastante como para que el aya del castillo lo viera claramente y lo tuviera en cuenta, fuera ella bruja o mujer. Y Orión corrió a su encuentro y dijo:

—Muéstrame los bosques.

Y Ziroonderel se dio cuenta de que había llegado el momento en que los pensamientos del muchacho iban más allá del valle, y sabía que ningún hechizo al que ella pudiera recurrir podría evitar que fuera tras ellos. Y Threl dijo:

—No, mi amo —y miró confuso a Ziroonderel que venía tras el muchacho y lo apartó de Threl. Y Threl fue solo a su trabajo en la profundidad de los bosques.

Y fue tal cual la bruja lo había previsto. Porque primero Orión lloró, luego soñó con los bosques y al día siguiente escapó furtivo y solo a la casa de Oth y le pidió que lo llevara con él cuando fuera a la caza del ciervo. Y Oth, de pie sobre una gran piel de ciervo frente a unos leños en llamas, le habló mucho de los bosques, pero no lo llevó consigo en esa ocasión. Llevó en cambio a Orión de vuelta al castillo. Y Ziroonderel lamentó demasiado tarde haberle dicho tan a la ligera que su madre había ido a los bosques, porque esas palabras suyas habían llamado demasiado pronto al espíritu errante que por fuerza habría de despertar en él alguna vez, y vio que sus hechizos ya no podrían contentarlo. De modo que terminó por permitirle ir a los bosques. Pero no antes de que, levantando la varita mágica y entonando un encantamiento, hubiera convocado el embeleso de los bosques al hogar del cuarto del muchacho y lo hubiera hecho habitar las sombras proyectadas por el fuego y arrastrarse con ellas por la habitación, hasta que tanto fue el misterio de ésta como el del bosque. Cuando este hechizo no lo satisfizo y siguió nostálgico en el castillo le permitió entonces ir a los bosques.

Se dirigió furtivo una vez más a la casa de Oth una mañana por sobre la hierba ondulada; y la vieja bruja supo que se había marchado, pero no le exigió que volviera, porque no tenía hechizo que pudiera con el amor del vagabundeo en un hombre, sea que éste se despierte temprano o tarde. Y no iba a sujetar sus miembros cuando su corazón había ya partido a los bosques, porque siempre las brujas, cuando tienen dos cosas por delante, se ocupan de la más misteriosa. De modo que el muchacho llegó solo a la casa de Oth; en su jardín había flores muertas que colgaban de tallos parduscos y los pétalos se convertían en lodo si se los tocaba, porque noviembre había llegado y había habido escarcha toda la noche. Y esta vez Orión encontró a Oth en un estado de ánimo, que habría pasado en el término de una hora, favorable a los anhelos del muchacho. Oth estaba cogiendo su arco de la pared cuando Orión entró, y el corazón de Oth estaba ya en los bosques y cuando el muchacho llegó con ansias de ir a los bosques también el cazador no pudo negárselo.

De modo que Oth sentó al muchacho sobre su hombro y junto con él abandonó el valle. Y la gente los vio pasar así: Oth con su arco y sus suaves sandalias silenciosas y sus pardos vestidos de cuero, y Orión sobre su hombro, envuelto en una piel de cervatillo que Oth le había echado encima. Cuando la aldea quedó atrás, Orión se regocijó al ver a las casas cada vez más lejos, porque nunca había estado antes a tanta distancia de ellas. Y cuando las tierras altas abrieron sus espacios ante sus ojos, sintió que no estaba meramente de paseo, sino que había emprendido un viaje. Y entonces vio a lo lejos las sombras solemnes de los bosques invernizos, y se sintió sobrecogido de deleitado temor reverente. Oth lo llevaba a su oscuridad, su misterio y su abrigo.

Tan suavemente entró Oth en el bosque, que los mirlos que montaban guardia en él, posados vigilantes en las ramas, no se echaron a volar a su llegada, sino que sólo emitieron suaves notas de advertencia y escucharon precavidos hasta que hubo pasado, sin saber de cierto si un hombre había roto el encantamiento del bosque. En ese encantamiento, en las sombras y en el profundo silencio, Oth se trasladaba gravemente; y la solemnidad le lucía en la cara al penetrar en el bosque; porque avanzar con pies silenciosos a través del bosque era su misión en la vida, y llegaba a él como los hombres llegan a lo más deseado de sus corazones. Y no tardó en dejar al muchacho sobre los helechos pardos y siguió adelante solo, por un momento. Orión lo vio alejarse con el arco en la mano izquierda hasta desaparecer en el bosque, como una sombra que fuera a una reunión de sombras y se mezclara con sus semejantes. Y aunque Orión no podía ir con él esta vez, sentía una gran alegría porque sabía que ésta era, una verdadera cacería, no una mera diversión para complacer a un niño, y esto lo complacía más que todos los juguetes que hubiera tenido nunca. Y silencioso y solitario el gran bosque lo rodeaba mientras él esperaba el regreso de Oth.

Y al cabo de un largo rato, oyó un sonido en medio del encantamiento del bosque menos alto todavía que el que hace un mirlo cuando esparce hojas muertas en busca de insectos, y Oth estaba otra vez de vuelta.

No había encontrado ciervos; y durante algún tiempo se sentó junto a Orión y disparó flechas contra un árbol; pero pronto recogió sus flechas nuevamente, puso al muchacho, sobre el hombro e inició el camino de regreso a casa. Y había lágrimas en los ojos de Orión cuando abandonaron el gran bosque; porque amaba el misterio de los enormes robles grises junto a los cuales podemos pasar sin advertirlos o sólo con la momentánea sensación de algo olvidado, de algún

mensaje no del todo descifrado; pero para él sus espíritus eran
compañeros de juego. De modo que volvió a Erl como si se
hubieran hecho, de nuevo amigos, lleno de las sugerencias
impartidas por viejos troncos sabios, porque para él cada uno
de ellos, tenía un significado. Y Ziroonderel estaba esperando en los portales cuando Oth trajo a Orión de regreso; y le
preguntó poco sobre el tiempo pasado en los bosques, y
le respondió poco cuando él le habló de la cuestión, porque
sentía celos de esos bosques cuyo hechizo se lo había arrebatado a pesar del suyo propio. Y durante toda esa noche
Orión cazó ciervos, en sueños en la profundidad de los
bosques.

Al día siguiente se dirigió otra vez furtivo a casa de Oth.
Pero Oth había salido de caza porque estaba necesitado de
carne. De modo que Orión fue a la casa de Threl. Y allí
estaba Threl en su casa oscura entre abundantes pieles diversas.

—Llévame a los bosques —dijo Orión. Y Threl se sentó
en una ancha silla de madera junto al fuego para pensar el
asunto y hablarle de los bosques. No era como Oth, que
hablaba sólo de las pocas cosas sencillas que conocía, del
ciervo, de las costumbres del ciervo, de la llegada de las estaciones; sino que hablaba de lo que presentía de la profundidad del bosque, de la oscuridad del tiempo, de las fábulas
de los hombres y los animales; y en especial le gustaba contar
las fábulas de los zorros y los tejones, que había llegado a
conocer observando sus movimientos a la hora del crepúsculo. Y mientras se estaba allí sentado mirándose fijamente el
fuego, rememorando las antiguas costumbres de los moradores del helecho y la maleza, Orión olvidaba su anhelo de ir
a los bosques y se quedaba sentado en una sillita abrigada de

pieles, satisfecho. Y a Threl le decía lo que no le había dicho a Oth, que creía que su madre algún día le saldría al encuentro de detrás de uno de los troncos de los viejos robles, porque había ido a los bosques por un tiempo. Y Threl pensaba que quizá fuera así; porque no había nada maravilloso que se dijera de los bosques que Threl no pensara posible.

Y entonces llegó Ziroonderel en busca de Orión y se lo llevó consigo de regreso al castillo. Y al día siguiente le permitió nuevamente que fuera a lo de Oth; y esta vez Oth lo llevó nuevamente a los bosques. Y unos pocos días más tarde volvió a la casa oscura de Threl en cuyas telarañas y rincones parecía acechar el misterio del bosque, y escuchó los curiosos cuentos de Threl.

Y las ramas del bosque se volvieron negras y rígidas sobre la llamarada de los atardeceres rojos, y el invierno empezó a depositar su hechizo sobre las tierras altas, y los más sabios de la aldea profetizaron nieve. Y un día Orión, que estaba en los bosques con Oth, vio cómo el cazador mataba a un venado. Observó cómo lo preparaba, lo desollaba, lo cortaba en dos partes y las ataba en la piel, con la cabeza y los cuernos hacia abajo. Luego Oth fijó los cuernos, al resto del atado, se lo echó al hombro y, con sus fuerzas poderosas, lo cargó hasta la casa. Y el muchacho se regocijó más que el cazador.

Y esa tarde Orión fue a contarle historia a Threl, pero Threl tenía historias más maravillosas todavía.

Y así transcurrieron los días mientras Orión aprendía del bosque y de los cuentos de Threl el amor por todo lo que hace la vocación del cazador, y un espíritu crecía en él digno del nombre que llevaba; sin embargo, no mostraba nada todavía que revelara la parte mágica de su linaje.

Capítulo XII

LA PLANICIE DESENCANTADA

Cuando Alveric comprendió que había perdido el País de los Elfos, caía la tarde y se había alejado dos días y una noche de Erl. Por segunda vez yació para pasar la noche sobre la planicie guijarrosa de la que el País de los Elfos se había retirado; y en el crepúsculo el horizonte oriental se divisaba claro sobre un cielo turquesa, ornado de negras rocas escarpadas, sin el menor signo del País de los Elfos. El atardecer resplandecía, pero era el atardecer de la Tierra, no el de la densa linde que Alveric buscaba, que se extiende entre el País de los Elfos y la Tierra. Y salieron las estrellas y eran las estrellas que conocemos, y Alveric durmió bajo sus constelaciones familiares.

Despertó con mucho frío en el alba sin pájaros, oyendo viejas voces que lloraban quedo a la distancia mientras se alejaban, como sueños que vuelven al país de los sueños. Se preguntó si llegarían al País de los Elfos una vez más o si éste se habría alejado demasiado para que ello fuera posible. Examinó todo el horizonte hacia el este, pero no vio sino las rocas que desolaban la tierra. De modo que regresó a los campos que conocemos.

Hizo el camino de regreso en medio del frío sin el menor rastro ya de impaciencia; y, gradualmente, la caminata le dio algún calor y otro poco de calor le dio el sol de otoño. Anduvo durante todo el día, y el sol estaba enorme y rojo cuando llegó de nuevo a la cabaña del talabartero. Pidió comida y el anciano le dio la bienvenida; ya en la olla hervía su propia cena; y, no transcurrió mucho tiempo de haberse sentado Alveric a la vieja mesa sin que tuviera por delante una fuente llena, de patas de ardilla y carne de erizo y conejo. El anciano se negó a comer en tanto Alveric no hubiera terminado, y lo servía con tanta solicitud, que Alveric creyó que el momento oportuno había llegado; se volvió hacia el anciano mientras éste le ofrecía un trozo de conejo y se refirió al tema del País de los Elfos.

—El crepúsculo se ha alejado —dijo Alveric.

—Sí, sí —dijo el viejo sin que hubiera en su voz la menor significación, sea lo que fuere lo que tenía en mente.

—¿Cuándo partió? —preguntó Alveric.

—¿El crepúsculo, mi amo? —preguntó el anfitrión.

—Sí —dijo Alveric.

—Ah, el crepúsculo —dijo el anciano.

—La linde —dijo Alveric, y bajó la voz aunque no sabía, por qué— entre el lado de aquí y el País de los Elfos.

Ante las palabras «el País de los Elfos», toda comprensión desapareció de los ojos del anciano.

—Ah —dijo.

—Anciano —dijo Alveric—, tú sabes dónde se ha ido el País de los Elfos.

—¿Se ha ido? —dijo el anciano.

Esa inocente sorpresa, pensó Alveric debe de ser real; pero, cuando menos, sabía dónde se había encontrado: sólo a dos campos de distancia de su propia puerta.

—Antes el País de los Elfos estaba en el campo de al lado —dijo Alveric.

Y la mirada del anciano volvió errante al pasado y lo contempló como si los viejos días hubieran vuelto por un momento, luego sacudió la cabeza. Y Alveric le clavó la mirada.

—Tú conociste el País de los Elfos —exclamó.

El viejo siguió sin comprender nada.

—Tú sabías dónde se encontraba la linde —dijo Alveric.

—Soy viejo —dijo el talabartero— y no tengo a nadie a quien preguntárselo.

Cuando dijo eso, Alveric supo que estaba pensando en su esposa; y supo también que si ella hubiera estado viva y allí mismo en ese momento, tampoco habría recibido información alguna sobre el País de los Elfos; no parecía que hubiera mucho más que decir. Pero una cierta terquedad hizo que insistiera sobre el tema aun cuando sabía que nada podría averiguar.

—¿Quién vive al este de aquí? —preguntó.

—¿Al este? —replicó el anciano—. Mi amo ¿no existen el norte, el sur y el oeste para que os empeñéis en ir hacia el este?

Había una expresión de súplica en su cara, pero Alveric no le prestó atención.

—¿Quién vive al este de aquí? —repitió.

—Mi amo, nadie vive en el este —respondió. Y eso era cierto en verdad.

—¿Quién vivía allí? —preguntó Alveric.

Y el viejo se apartó para vigilar el guisado en su olla y musitó al volverse, de modo que apenas fue posible oírlo:

—El pasado.

Nada más dijo el anciano, ni explicó lo que había dicho. De modo que Alveric le preguntó si podía disponer de una cama para pasar la noche, y su anfitrión le mostró la vieja cama que recordaba a través del vago número de años transcurridos. Y Alveric aceptó la cama sin más y dejó que el anciano fuera a cenar. Y muy pronto Alveric se quedó profundamente dormido, por fin en reposo y caliente, mientras su anfitrión meditaba en su mente muchas cosas que Alveric creía que ignoraba.

Cuando los pájaros de nuestros campos despertaron a Alveric cantando estrepitosos y tardíos a finales de octubre, en un día que les recordaba la primavera, se levantó, salió afuera y subió a la parte más alta del pequeño prado que se extendía del lado sin ventana de la casa del anciano que daba al País de los Elfos. Allí miró hacia el este y vio hasta la línea curva del cielo la misma planicie baldía, desolada, rocosa que había estado allí ayer y aun el día anterior. Luego el talabartero le dio el desayuno, y después él salió nuevamente a mirar la planicie. Y mientras recibía la cena que su anfitrión compartió tímidamente, Alveric insistió una vez más en el tema del País de los Elfos. Y algo había en las palabras y los silencios del anciano que alentaba en Alveric la esperanza de tener noticia del paradero de las azules Montañas Feéricas. De modo que llevó al anciano afuera y se volvió hacia el este; el anciano miraba en esa dirección con ojos renuentes; y señalando una roca en particular, la más notoria y cercana, en la esperanza de tener información definida de una cosa definida, él le preguntó:

—¿Cuánto hace que se encuentra allí esa roca?

Y la respuesta llegó a sus esperanzas como el granizo a las flores del manzano:

—Se encuentra allí y debemos sacar el mejor partido posible de ello.

Lo inesperado de la respuesta desconcertó a Alveric; y cuando comprobó que las preguntas razonables sobre cosas definidas no recibían una respuesta lógica, desesperó de obtener una información práctica que pudiera servirle de guía en su viaje fantástico. De modo que anduvo hacia el lado este de la cabaña toda la tarde, observando la llanura desolada que permaneció inalterable: no aparecieron montañas celestes,

ninguna marejada devolvió el País de los Elfos; y llegó la caída
de la tarde, las rocas resplandecían tristemente a los rayos
oblicuos del sol poniente y se ennegrecieron después de partido, alterándose con todas las alteraciones de la Tierra, pero
no con el encantamiento del País de los Elfos. Entonces Alveric decidió emprender un gran viaje.

Volvió a la cabaña y le dijo al talabartero que le era preciso
adquirir muchas provisiones, tantas como pudiera cargar. Y
durante la cena planearon lo que llevaría consigo. Y el anciano le prometió ir al día siguiente a donde sus vecinos y le
indicó lo que cada cual daría, y algo más si Dios concedía
prosperidad a sus trampas. Porque Alveric había decidido
viajar hacia el este hasta encontrar la tierra perdida.

Y Alveric se fue a dormir temprano, y durmió mucho hasta
que la fatiga que le había provocado la búsqueda del País de los
Elfos se le hubiera pasado por completo; el anciano lo despertó
al volver de visitar sus trampas. Y puso las criaturas atrapadas
en el caldero y el caldero sobre el fuego mientras Alveric de-
sayunaba. Y toda la mañana el talabartero fue de casa en casa
entre sus vecinos que vivían en pequeños huertos en el borde
de los campos que conocemos y de uno recibió carnes saladas,
pan de otro, un queso de un tercero, hasta que volvió cargado
a su casa a tiempo para preparar la comida.

Y todas las provisiones que cargaba el anciano Alveric las
puso en un saco que se echó al hombro y algunas las puso
en su bolso; y, llenó su cántaro de agua y otros dos además,
que su anfitrión había fabricado con grandes cueros, pues no
había visto corriente alguna en toda esa tierra desolada; y así
equipado, se alejó un tanto de la cabaña y miró otra vez la
tierra de la que el País de los Elfos se había retirado. Volvió
satisfecho de poder cargar provisiones para una quincena.

Y al caer la tarde, mientras el anciano preparaba trozos de carne de ardilla, Alveric se dirigió otra vez al lado sin ventana de la cabaña mirando todavía la tierra desolada, en la esperanza de ver surgir de entre las nubes que coloreaba la puesta de sol esas serenas montañas azules; pero no vio nada. Y el sol se puso, y ya terminaba octubre.

A la mañana siguiente Alveric comió en abundancia en la cabaña; luego cogió la pesada carga de provisiones, le pagó a su anfitrión y se puso en marcha. La puerta de la cabaña se abría hacia el oeste y el anciano cordialmente lo acompañó y lo despidió con bienandanzas y bendiciones, pero no rodeó su casa para verlo alejarse por el este; tampoco habló de ese viaje; era como si para él sólo hubiera tres puntos cardinales.

El brillante sol de otoño no estaba alto todavía cuando Alveric abandonó los campos que conocemos para dirigirse a la tierra que el País de los Elfos había dejado y que nada tenía cerca, con el gran saco al hombro y la espada a un lado. Las manzanillas de la memoria que había visto estaban todas marchitas ahora, y las viejas canciones y voces que habían inundado el sitio, no eran ahora más altas que suspiros; y parecían ser menos, como si algunas, hubieran muerto ya o hubieran logrado volver al País de los Elfos.

Todo ese día Alveric viajó con el vigor que acompaña el principio de las empresas, que lo ayudó a avanzar a pesar de la gran carga de provisiones que llevaba, y una gran manta que le colgaba como una pesada capa de los hombros; y llevaba además un atado de leña y una estaca en la mano derecha. Era una figura incongruente con su estaca, su saco y su espada; pero iba en pos de una idea, una inspiración, una esperanza; y, por tanto, compartía algo de la extrañeza que tienen todos los hombres que emprenden algo semejante.

Al mediodía se detuvo para comer y descansar y siguió camino luego lentamente otra vez y anduvo hasta caer la tarde; ni siquiera entonces descansó como había tenido la intención de hacerlo, porque cuando cundió el crepúsculo y pesó denso sobre el cielo del este, continuamente abandonaba el descanso y avanzaba algo todavía para ver si no sería el de la espesa frontera profunda de los campos que conocemos que nos separa del País de los Elfos. Pero era siempre el crepúsculo terrenal, hasta que las estrellas salieron y eran todas las estrellas familiares que miran sobre la Tierra. Luego se tendió entre esas ásperas rocas sin musgo, comió pan y queso y bebió agua; y cuando el frío de la noche empezó a extenderse por la planicie, encendió una pequeña fogata con el escaso haz de leña y se acercó a ella envuelto con su capa y su manta; y antes de que hubieran ennegrecido los rescoldos, se había quedado profundamente dormido.

Llegó el alba sin sonido de pájaros ni susurro de hojas, llegó el alba en el silencio mortal y en el frío; y nada en toda aquella planicie le dio la bienvenida a la luz.

Si la oscuridad hubiera cubierto por siempre esas rocas angulosas, habría sido mejor, pensó Alveric al ver su compañía informe que lucía con tétrico fulgor; la oscuridad era mejor ahora que el País de los Elfos había desaparecido. Y aunque la lobreguez de ese lugar desencantado penetraba su espíritu con el frío del alba, su fogosa esperanza brillaba todavía, y le dio algo de tiempo para comer junto al frío círculo negro de su fogata solitaria antes de impulsarle nuevamente hacia el este por sobre las rocas. Y toda esa mañana siguió adelante sin la camaradería de una hoja de hierba siquiera. Los pájaros dorados que antes había visto, hacía ya tiempo que habían regresado al País de los Elfos, y los pájaros de nuestros campos y todas las criaturas vivientes que conocemos se habían ausentado de esa tierra baldía. Alveric viajaba tan solo como quien vuelve en su memoria a escenas de tiempos recordados, pero en lugar de en escenas de tiempos recordados, se encontraba en un lugar del que todo embeleso había huido. Viajaba algo más ligero que el día antes, pero lo hacía, con mayor fatiga porque sentía el peso de la marcha del día anterior. Descansó un buen rato al mediodía y luego siguió adelante. Las múltiples rocas se extendían por todas partes y punzaban el horizonte con su aspereza, pero en ningún momento se divisaron las montañas azules. Esa noche, con su menguante provisión de leña, Alveric hizo otra fogata; su llama, que subía sola en esa tierra baldía parecía de algún modo revelar la monstruosa desolación. Se sentó junto al fuego y pensó en Lirazel sin pérdida de las esperanzas, aunque la visión de esas rocas debió de haberle advertido que no debía esperar, porque algo en su apariencia caótica participaba de la planicie que les daba cabida y sugería su infinita extensión.

Capítulo XIII

LA RETICENCIA DEL TALABARTERO

Transcurrieron muchos días antes de que Alveric aprendiera de la monotonía de las rocas que un día de viaje era el mismo que otro y que número alguno de jornadas producirían cambio alguno a los rugosos horizontes que tenía por delante y eran tan lóbregos como los que habían reemplazado; que jamás le traerían la visión de las montañas azules. Había avanzado durante diez días mientras sus provisiones se hacían

más y más ligeras; caía ahora la tarde y Alveric se dio cuenta
por fin de que si seguía adelante y no divisaba pronto las
cumbres de las Montañas Feéricas, moriría de hambre. De
modo que, hizo una cena frugal en la oscuridad, pues la leña
hacía ya tiempo que se le había terminado, y abandonó las
esperanzas que lo habían impulsado. Y no bien hubo luz bastante como para que le indicara dónde se encontraba el este
comió un poco de lo que había reservado de la cena e inició el
largo camino de regreso a los campos de los hombres por rocas que parecían todavía más ásperas porque le daba las espaldas al País de los Elfos. Todo ese día comió y bebió poco, y
al caer la noche tenía todavía provisiones para cuatro días más.

Había esperado viajar más de prisa estos últimos días a
regresar, porque lo haría más ligero de peso; no había considerado la capacidad de esas monótonas rocas para fatigar y
deprimir con su desolación cuando la esperanza que había
iluminado un tanto su lobreguez, hubo desaparecido; no
había considerado siquiera la posibilidad de volver atrás hasta
que llegó la décima noche sin descubrir ni rastros de las
montañas azules y examinar sus provisiones. Y sólo el oca-
sional temor de que quizá no lograra volver a los campos que
conocemos interrumpía la monotonía del viaje de regreso.

Las múltiples rocas yacían más grandes y más densas que
tumbas, aunque no tan bien modeladas no obstante la tierra
baldía lucía como un cementerio que se extendiera sobre el
mundo sin lápidas recordatorias sobre cabezas sin nombre.
Helado por noches crudas, guiado por refulgentes atardeceres, siguió adelante a través de nieblas matinales, vacíos mediodías y tardes despojadas de pájaros. Más de una semana
transcurrió desde que emprendiera el camino de regreso, y ya
no le quedaba agua y no veía todavía indicios de los campos

que conocemos ni nada más familiar que las rocas que le parecía recordar y que lo habrían guiado erradamente hacia el norte, el sur y el este, si no hubiera sido por el rojo sol de noviembre al que seguía y, a veces, por alguna estrella amistosa. Y entonces, por fin, al descender la oscuridad ennegreciendo la rocosa multitud, apareció al oeste por sobre las rocas, pálida al principio sobre los restos de la puesta de sol, pero con un esplendor más y más naranja, una ventana bajo uno de los tejados del hombre. Alveric se puso en pie y avanzó hacia ella hasta que las rocas sumidas en la oscuridad y la fatiga lo sometieron, y él se tendió por tierra y durmió; y la ventanita amarilla brilló en sus sueños y trazó formas de esperanza tan bellas como cualquiera que pudiera llegar del País de los Elfos.

Parecía imposible que la casa que vio por la mañana al despertar fuera la misma cuya luz minúscula había sostenido su esperanza y lo había ayudado en su soledad; parecía ahora demasiado sencilla y corriente. Reconoció en ella a una casa que no distaba mucho de la del talabartero. No tardó mucho en llegar a un estanque de cuyas aguas bebió. Llegó a un jardín en el que una mujer estaba trabajando desde temprano ésta le preguntó de dónde venía.

—Desde el este —respondió él señalando, y ella no entendía. Y así llegó a la cabaña desde la que había partido para pedirle hospitalidad al anciano que lo había albergado ya dos veces.

Estaba a la puerta de entrada de su cabaña al llegar Alveric, que venía andando fatigado, y de nuevo le dio la bienvenida. Le ofreció leche y luego alimentos. Y Alveric comió y luego descansó todo el día; sólo al caer la tarde habló. Pero cuando hubo comido y descansado y estuvo nuevamente

sentado con la cena por delante, y la luz brillaba y el calor
reinaba, sintió en seguida necesidad de la palabra humana. Y
contó entonces la historia del gran viaje por la tierra donde las
cosas propias del hombre cesaban y donde no había sin embargo pájaros ni bestezuelas ni flores siquiera; una crónica de
la desolación. Y el anciano escuchaba las vívidas palabras y no
decía nada; sólo hacía algún comentario cuando Alveric se
refería a los campos que conocemos. Escuchó con cortesía,
pero ni una palabra dijo de la tierra de la que el País de los
Elfos se había retirado. Era en verdad como si la tierra hacia
el este fuera una ilusión, como si Alveric se hubiera recupe-
rado de ella o hubiera despertado de un sueño y se encontrara
ahora entre razonables cosas cotidianas y nada hubiera que
decir de la sustancia de los sueños. Por cierto, ni una palabra
de reconocimiento dijo el anciano del País de los Elfos, ni de
nada que quedara a ochenta yardas al este de la puerta de su
cabaña. Luego Alveric se fue a dormir y el anciano se quedó
sentado solo junto al fuego hasta que éste se consumió,
pensando en lo que había oído y sacudiendo la cabeza. Y todo
el día siguiente descansó Alveric allí y caminó por el jardín del
anciano, herido por el otoño; y trató a veces de volver a hablar
con su anfitrión del gran viaje por la tierra desolada, pero no
le fue posible que admitiera que hubiera tales tierras, pues
evitaba siempre el tema, como si hablar de ellas las volviera
más cercanas.

Y Alveric especuló entonces acerca de las razones que
podría tener para, ello. ¿Había estado el anciano en el País de
los Elfos durante su juventud y visto algo muy temible, es-
capando quizá muy de cerca de la muerte o de un amor im-
borrable? ¿Era el País de los Elfos un misterio demasiado
grande como para que las voces humanas lo perturbaran? Esta

gente que, vivía allí, al borde de nuestro mundo, ¿conocía la belleza extraterrena de todas las glorias del País de los Elfos y temía que aun hablar de ellas hiciera vacilar la débil resolución de mantenerse apartados? ¿O quizá sólo pronunciar una palabra sobre la tierra mágica podría acercarla para volver fantásticos y feéricos aun los campos que conocemos? Para ninguna de todas estas especulaciones encontró Alveric respuesta.

Y, sin embargo, Alveric descansó un día más antes de emprender el camino de regreso a Erl. Se puso en camino a la mañana y su huésped salió con él a la puerta para decirle adiós y hablarle del camino de regreso y de los asuntos de Erl, que eran pasto para el chismorreo de muchas granjas. Y era muy grande el contraste entre la aprobación que demostraba el buen hombre por los campos que conocemos, en los que Alveric andaba ahora, y su desaprobación por todas esas otras tierras hacia las que las esperanzas de Alveric se volvían todavía. Y se separaron después de despedirse y entró luego el anciano en su casa frotándose las manos satisfecho, porque se alegraba de ver a alguien que había contemplado las tierras fantásticas, emprender ahora un viaje a través de los campos que conocemos.

En esos campos imperaba la escarcha y Alveric andaba sobre hierbas quebradizas y respiraba el fresco aire claro, sin pensar casi en su hogar ni en su hijo, sino planeando cómo todavía podría llegar al País de los Elfos; porque creía que más lejos, hacia el norte quizás, hubiera un camino que rodeara las montañas azules. De que el País de los Elfos se había alejado demasiado como para que pudiera llegar a él desde allí, se sentía desesperadamente seguro, pero no podía creer que se hubiera trasladado a lo largo de toda la frontera del cre-

púsculo, donde el País de los Elfos roza la Tierra tan lejos
como ha cantado el poeta. Quizá más hacia el norte encontrara la frontera, inmóvil, sumida en el sueño del crepúsculo,
y llegara junto a las montañas azules y volviera a ver a su esposa; embargado en estos pensamientos, avanzaba por dulces
campos neblinosos.

Y sumido en sus sueños y en sus planes sobre la tierra
fantasmal, llegó por la tarde a los bosques que meditan sobre
Erl. Y penetró en el bosque y, a pesar de estar sumido en
pensamientos que lo transportaban lejos de allí, no tardó
en ver el humo de una fogata que ardía no muy lejos, que se
elevaba gris entre los oscuros troncos de los robles. Avanzó
hacia él, para ver quién se encontraba allí, y allí estaban su
hijo y Ziroonderel, que calentaban sus manos tendidas al
fuego.

—¿Dónde has estado? —exclamó Orión tan pronto como
lo vio.

—De viaje —respondió Alveric.

—Oth está de caza —dijo Orión y señaló la dirección por
la que el viento se llevaba el humo. Y Ziroonderel no dijo
nada porque veía más en los ojos de Alveric que lo que ninguna pregunta le habría arrancado de la lengua. Entonces
Orión le mostró una piel de ciervo sobre la que estaba sentado—. Oth lo mató —dijo.

Parecía reinar la magia alrededor de esa fogata de grandes
leños que ardían tranquilamente en los bosques sobre el vestido abandonado del otoño que yacía resplandeciente; y no era
la magia del País de los Elfos ni la que hubiera invocado Ziroonderel con su varita mágica: era sólo la magia propia del bosque.

Y Alveric se estuvo allí en silencio un rato mirando al
muchacho y a la bruja junto al fuego en los bosques; y en-

tendió que había llegado el momento de comunicarle a Orión cosas que a sí mismo no eran claras y que aun en ese instante lo desconcertaban. Sin embargo no le habló de ellas entonces; en cambio, dijo algo sobre los asuntos de Erl, se volvió y se dirigió hacia su castillo; Ziroonderel y el muchacho regresarían más tarde con Oth.

Y Alveric, ordenó que se le preparara la cena al llegar a las puertas, y comió solo en el gran salón que había en el castillo de Erl, mientras pensaba en las palabras que diría. Y fue luego por la noche al cuarto del niño y le dijo que su madre se había ido por un tiempo al País de los Elfos, al palacio de su padre (del que sólo puede hablarse en un canto). Y, sin escuchar nada de lo que dijo Orión entonces, se atuvo al breve cuento que había ido a contar y le dijo que el País de los Elfos se había retirado.

—Pero eso no es posible —dijo Orión— porque yo oigo todos los días los cuernos del País de los Elfos.

—¿Puedes oírlos? —preguntó Alveric.

Y el muchacho replicó:

—Los oigo resoplar al caer la tarde.

Capítulo XIV

LA BÚSQUEDA DE LAS MONTAÑAS FEERICAS

El invierno descendió sobre Erl y se apoderó del bosque manteniendo las ramitas rígidas e inmóviles; en el valle silenció al arroyo y en el campo de los bueyes la hierba era quebradiza como cerámica, y el aliento de las bestias ascendía como el humo de los campamentos. Y Orión seguía yendo a los bosques siempre que Oth lo llevaba y, a veces, iba con Threl. Cuando iba con Oth, el bosque estaba lleno del embeleso de las bestias que Oth cazaba, el esplendor de los venados parecía encantar las sombrías profundidades; pero cuando, iba con Threl, el misterio ganaba al bosque, de modo que uno nunca sabía qué criatura no podría aparecer, ni qué podría salir de detrás de cada enorme tronco. Qué bestias había en el bosque ni el mismo Threl lo sabía: muchas especies sucumbían a su sutileza, pero ¿quién sabía si con ellas se agotaban?

Y cuando el muchacho se demoraba hasta tarde en el bosque en tardes dichosas, siempre oía al descender el sol llameante, fila tras fila de los cuernos feéricos que soplaban lejos hacia el este en el frío de la llegada del crepúsculo, muy distantes y quedos, como una diana oída en sueños. Desde más allá de los bosques resonaban todos esos cuernos sonoros, desde más allá de los bajos, mucho más allá de su última curva; y él sabía que eran los cuernos de plata del País de los Elfos. En todo lo demás era humano, salvo por su capacidad de oír esos cuernos del País de los Elfos, cuya música suena a sólo una yarda más allá del oído humano, y salvo también por el conocimiento de su origen; con excepción de esas dos cosas, no era hasta el momento más que un hijo del hombre.

Y cómo los cuernos del País de los Elfos sonaban sobre la frontera de crepúsculo para ser oídos en los campos que conocemos, no puedo entenderlo; no obstante Tennyson habla de ellos y dice que soplan tenues aun en estos nuestros campos, y creo que si aceptamos todo lo que los poetas dicen cuando están debidamente inspirados, nuestros errores serán menos. De modo que lo niegue la Ciencia o lo confirme el verso de Tennyson me servirá aquí de guía.

Alveric en aquellos días iba por la aldea de Erl, sombrío, sumido en pensamientos muy distantes del lugar en el que andaba, y se detenía ante múltiples puertas y hablaba y planeaba, con la mirada fija en cosas que nadie más podía ver, según parecía. Meditaba en horizontes lejanos, y en el último, más allá del cual estaba el País de los Elfos. Y yendo de casa en casa, reunió a un pequeño grupo de hombres.

Soñaba Alveric encontrar la frontera por el norte lejano, viajar por los campos que conocemos siempre en busca de nuevos horizontes hasta encontrar algún sitio del que el País de los Elfos no se hubiera retirado; a esto decidió dedicar sus días.

Cuando Lirazel estaba con él en los campos que conocemos, siempre había sido su intención volverla más terrena; pero ahora que se había ido su propia mente se volvía diariamente más feérica, y la gente empezaba a mirar de soslayo su expresión fantástica. Soñando siempre con el País de los Elfos y con cosas feéricas, reunió caballos y provisiones y preparó para su pequeño grupo un tal caudal de pertrechos, que la gente que lo veía se asombraba. A muchos hombres pidió formar parte de ese extraño grupo, y pocos aceptaron ir con él a frecuentar horizontes cuando oyeron cuál era su destino. Y al primero que halló para integrar el grupo fue un joven contrariado en amores; y luego a un joven pastor, acostumbrado a los grandes espacios, luego a uno que había oído una extraña canción que alguien cantaba una tarde: se le habían vuelto errantes los pensamientos, en pos de tierras imposibles, de modo que se alegraba de seguir a sus fantasías. una enorme luna llena, un verano, había brillado durante toda una noche cálida sobre un joven que dormía en el heno, y a partir de ese momento había adivinado o visto cosas que, según él lo decía, la luna le había mostrado; fueran lo que hubieren sido, nadie más vio cosas semejantes en Erl: también él se unió al grupo de Alveric no bien éste se lo pidió. Muchos días transcurrieron antes de que Alveric encontrara a estos cuatro; y más no pudo encontrar salvo a un joven por completo privado de juicio, y a éste le encomendó el cuidado de los caballos, porque a los caballos los comprendía perfectamente, y ellos lo comprendían a él, aunque ni hombre ni mujer alguna le encontraran sentido, con excepción de su madre, que lloró cuando Alveric obtuvo su promesa de acompañarlo; porque ella dijo que el muchacho era la compañía y el apoyo de su vejez, y que sabía cuándo se producirían las tormentas y cuándo volarían las golondrinas y de qué color serían las flores que brotarían de las semillas que ella sembraba en el jardín, y dónde tejerían las arañas sus telas y las viejas fábulas de las moscas; lloró y, dijo que mucho más se perdería con su ausencia que lo que la gente de Erl sospechaba. Pero Alveric se lo llevó con él: son muchos los que se van así.

Y una mañana seis caballos cubiertos de provisiones esperaban a las puertas de Alveric, con los cinco hombres que irían con él hasta el borde mismo del mundo. Había tenido una larga conferencia con Ziroonderel, pero ésta le dijo que ninguno de sus hechizos tenía poder para encantar al País de los Elfos o contravenir la terrible voluntad de su rey; él, por tanto, encomendó a Orión a su cuidado, sabiendo bien que aunque su magia no era sino simple magia terrena, no había ninguna otra capaz de cruzar los campos que conocemos, ni maldición, ni runa dirigida contra el muchacho, capaz de contrarrestar sus hechizos; y en cuanto a sí mismo, se confió a la fortuna que aguarda al final de los largos viajes fatigosos.

Habló largo rato con Orión, pues no sabía cuán largo sería el viaje que tenía por delante hasta encontrar el País de los Elfos, ni cuán fácil sería su retornó a través de la linde del crepúsculo. Le preguntó al niño qué deseaba de la vida.

—Ser cazador —le respondió.

—¿Qué cazarás mientras yo esté más allá de las colinas? —le preguntó su padre.

—Venados, como Oth —respondió Orión.

Alveric ensalzó ese deporte, pues él mismo lo amaba.

—Y algún día iré muy lejos más allá de las colinas y cazaré bestias todavía más extrañas —dijo el muchacho.

—¿Qué clase de bestias? —preguntó Alveric. Pero el muchacho no lo sabía.

Su padre le sugirió diferentes especies de bestias.

—No, más extrañas aún —dijo Orión—. Más extrañas aún que los osos.

—¿Qué clase de bestias, pues?

—Bestias mágicas —dijo el muchacho.

Pero los caballos se movían inquietos allá abajo, en el frío, de modo que no había ya tiempo para charlas ociosas, y Alveric les dijo adiós a la bruja y a su hijo y se alejó sin pensar demasiado en el futuro, pues era demasiado vago como para ser objeto de pensamientos.

Alveric montó su caballo sobre los montones de provisiones y el grupo de seis hombres se alejó cabalgando. Los aldeanos se quedaban en las calles para verlos partir. Todos tenían conocimiento de su curiosa búsqueda; y cuando todos hubieron saludado a Alveric y gritándole adiós hasta al último de los jinetes, se elevó un murmullo de conversaciones. Y había desprecio en las conversaciones, y se apiadaban de él y lo encontraban ridículo; y a veces hablaba el afecto y

otras el desdén; sin embargo, en el corazón de todos había envidia; porque su razón se burlaba de una solitaria busca que no es
de este mundo, pero sus corazones hubieran querido partir.

Y abandonó al galope Alveric la aldea de Erl con su grupo
de aventureros detrás: un hombre herido de la luna, un loco,
un joven enfermo de amor, un pastor y un poeta. Y Alveric
designó a Vand, el joven pastor, jefe de su campamento, pues
parecía el más cuerdo de sus secuaces; pero hubo discusiones
mientras aún cabalgaban, antes de acampar; y Alveric, al escuchar o al sentir el descontento de sus hombres, supo que en
una búsqueda como la que él había emprendido no era al más
cuerdo sino al más loco a quien debía otorgársele autoridad.
De modo que designó a Niv, el joven sin juicio, jefe del
campamento; y Niv lo sirvió bien hasta un día todavía lejano,
y el hombre herido de la luna se mantuvo a su lado y todos
estaban contentos de hacer lo que Niv les indicaba y honraron todos la búsqueda de Alveric. Y muchos hombres en
múltiples tierras hacen cosas más cuerdas con menos armonía.

Llegaron a las tierras altas y cabalgaron por los campos y
cabalgaron hasta llegar a los setos más lejanos del hombre
y las casas construidas junto al borde más allá del cual ni siquiera sus pensamientos se aventuran. A través de esa línea de
casas en el borde de esos, campos, cuatro o cinco por cada
milla, Alveric pasó por su extraña compañía. La choza del
talabartero se encontraba muy lejos hacia el sur. Ahora se
dirigía hacia el norte pasando junto a las espaldas de las casas
por campos sobre los que otrora atravesaba la linde de crepúsculo hasta encontrar un lugar del que el País de los Elfos
no pareciera haberse retirado tanto. Les explicó esto a sus
hombres y los espíritus conductores, Niv y Zend, que había

sido herido de la luna, lo aplaudieron sin vacilar; y Thyl, el joven soñador de canciones, dijo también que el plan era atinado; y Vand fue arrastrado por el vívido celo de estos tres; y todo le daba igual a Rannok, el enamorado. Y no habían avanzado mucho a espaldas de las casas, cuando el sol enrojecido rozó el horizonte y se apresuraron para acampar en lo que daba de la luz de ese breve día de invierno. Y Niv dijo que levantarían un palacio como los de los reyes y la idea impulsó a Zend a trabajar como tres hombres, y Thyl lo ayudó afanado; y levantaron estacas, tendieron mantas sobre ellas y construyeron una pared de malezas porque sólo estaban a corta distancia de los setos; y también Vand ayudó con las rudas vallas y Rarmok trabajó indiferente; y cuando todo estuvo acabado Niv dijo que era un palacio. Y Alveric entró en él y descansó mientras los demás encendían una fogata afuera. Y Vand preparó una comida para todos ellos; eso mismo hacía todos los días para sí mismo en los bajos solitarios; y nadie pudo haber cuidado mejor de los caballos que Niv.

Y se desvaneció el crepúsculo y reinó el frío del invierno; y a la hora en que brilló la primera estrella, no parecía haber, nada más en la noche que el frío mordiente; sin embargo, los hombres de Alveric se tendieron junto al fuego envueltos en sus cueros y sus pieles y durmieron todos, menos Rannok el enamorado.

A Alveric, que yacía sobre pieles en su refugio mirando los rojos rescoldos que brillaban más allá de las formas oscuras de sus hombres, la búsqueda le parecía prometer bien: iría muy lejos hacia el norte examinando sucesivos horizontes hasta encontrar un signo del País de los Elfos; iría por el borde, de los campos que conocemos y siempre tendría a mano nuevas provisiones; y si no había atisbos de las montañas azules, seguiría adelante hasta encontrar algún campo que el País de los Elfos no se hubiera retirado y así llegar a ellas por detrás después del rodeo. Y Niv, Zend y Thyl le habían jurado esa noche que antes de que muchos días transcurrieran, por cierto encontrarían el País de los Elfos. Pensando en esto se quedó dormido.

Capítulo XV

LA RETIRADA DEL REY DE LOS ELFOS

Cuando Lirazel voló con las espléndidas hojas, éstas fueron cayendo de a una abandonando su danza en el aire resplandeciente, y corrieron por sobre los campos por un tiempo y luego se agruparon junto a los setos y descansaron; pero la Tierra que lo atrae todo hacia abajo, no tenía el poder de asirla, pues la runa del Rey del País de los Elfos había cruzado su linde y la había llamado. De modo que ella cabalgó sin cuidarse del gran viento del noroeste contemplando ociosamente los campos que conocemos allá abajo, y voló sobre ellos en dirección de su patria. Ya no tenía la Tierra capacidad alguna para asirla; porque con su peso (que es por donde la tierra nos sujeta), habían partido todos sus cuidados terrenos. Contempló sin pena viejos campos por donde ella y Alveric habían andado otrora; iban ahora deslizándose; vio las casas de los hombres; también ellas pasaron; y profunda, densa, intensa de colorido, vio la linde del País de los Elfos.

Un último grito le lanzó la Tierra con múltiples voces, un niño que clamaba, grajos que graznaban, el triste mugido de las vacas, un carro lento que partía; y se internó luego en la densa linde de crepúsculo y todos los sonidos de la Tierra se acallaron de pronto; la atravesó por completo y los sonidos cesaron. Como un caballo agotado que cae muerto, nuestro viento noroeste cayó ante la linde; porque ningún viento sopla en el País de los Elfos que recorra los campos que conocemos. Y Lirazel fue descendiendo lentamente hasta que sus pies tocaron otra vez la tierra mágica de su patria. Vio en la plenitud de su belleza a las Montañas Feéricas, y oscuro por debajo, el bosque que guardaba el trono del Rey de los Elfos. Por sobre este bosque resplandecían aún ahora las altas agujas en la mañana feérica que refulge con esplendor más luciente que nuestras albas más blancas de rocío, y nunca tiene fin.

Por sobre la tierra feérica la señora avanzó con sus pies ligeros tocando la hierba como la toca el vilano del cardo cuando desciende sobre ella y roza sus crestas, mientras un viento lánguido lo hace girar lentamente sobre los campos que conocemos. Y todas las cosas feéricas y fantásticas, el curioso aspecto de la tierra, las flores extrañas, los árboles encantados y el portentoso presagio de magia que pesaba en el aire estaban tan llenos de recuerdos de su patria, que abrazó al primer tronco retorcido como un gnomo y besó su arrugada corteza.

Y llegó así al bosque encantado; y los siniestros pinos que lo guardaban junto con la hiedra vigilante adherida a sus ramas, se inclinaron al paso de Lirazel. Ni la menor maravilla de ese bosque, ni la menor sugerencia de magia dejaba de evocarle el pasado, como si apenas hubiera estado ausente. Sólo ayer, le parecía, había partido; y era todavía ayer a la mañana. Y al atravesar el bosque, las huellas de la espada de Alveric estaban todavía frescas y blancas en los árboles.

Y entonces una luz empezó a relumbrar en el bosque, fulgor tras fulgor de colores, y ella supo que venía de la gloria y el esplendor de las flores que bordeaban los prados de su padre. A ellos, volvió a dirigir sus pasos y las ligeras huellas que ella había dejado al salir del palacio de su padre y extrañarse de ver allí a Alveric, no se habían borrado todavía de la hierba curvada, las telarañas y el rocío. Allí las grandes flores brillaban en la luz feérica; mientras que más allá de ellas titilaba y relucía, con el portal por el que ella había salido todavía abierto de par en par a los prados, el palacio del que sólo puede hablarse en un canto. Allí volvió Lirazel. Y el Rey de los Elfos, que oyó por medios mágicos el paso de sus pies silenciosos, estaba a la puerta para recibirla.

Su gran barba casi la ocultaba cuando se abrazaron; la había llorado mucho durante la larga mañana feérica. Se había lamentado a pesar de su sabiduría; la había echado en falta como pueden echar en falta los corazones humanos a pesar de su mágico linaje ajeno a nuestros campos. Y ahora ella estaba en casa otra vez y la alegría del rey iluminó leguas enteras del País de los Elfos en la mañana feérica, y el esplendor fue visible aun desde las laderas de las montañas azules.

Y a través del brillo y el esplendor de las vastas puertas entraron al palacio una vez más; el caballero de la guardia, del Rey de los Elfos los saludó con la espada al pasar, pero no se atrevió a volver la cabeza en pos de la belleza de Lirazel; llegaron nuevamente a la sala del tronó del Rey de los Elfos, construida de hielo y arco iris; y el gran rey se sentó y sentó a Lirazel sobre sus rodillas y la calma descendió sobre el País de los Elfos.

Y por largo tiempo nada alteró la calma de la infinita mañana feérica; Lirazel descansaba después de los cuidados de

la Tierra, el Rey de los Elfos se estaba allí sentado manteniendo la profunda alegría de su corazón, el caballero de la
guardia permanecía en actitud de saludo con la espada todavía apuntada al suelo, el palacio resplandecía y brillaba: era
como una escena en un estanque profundo más allá del ruido de la ciudad, con juncos verdes, peces relucientes y millares de conchillas brillantes a la luz del crepúsculo en las
aguas profundas, que nada ha perturbado en todo el largo día
del verano. Y de este modo descansaron más allá del aje-
treo del tiempo, y las horas descansaban a su alrededor como
descansan las pequeñas ondas saltarinas de una catarata
cuando el hielo serena la corriente; los calmos picos azules de
las Montañas Feéricas se levantaban sobre ellos como sueños
inalterados.

Entonces, como el ruido de una ciudad oído entre los
pájaros de los bosques, como un sollozo entre niños reunidos
para jugar, cómo la risa en un duelo, como un viento frío en
el huerto entre los primeros capullos, como un lobo que
avanza en los bajos sobre las ovejas dormidas, la sensación se
filtró en el ánimo del Rey de los Elfos de que alguien avanzaba hacia ellos por los campos de la Tierra. Era Alveric con
su espada de piedra de rayo que el olfato del rey para la magia
percibía de algún modo.

Entonces el Rey de los Elfos se puso en pie, rodeó a su hija
con el brazo izquierdo y levantó el derecho para hacer un
poderoso encantamiento, erguido ante su trono brillante, que
es el centro mismo del País de los Elfos. Y con clara resonancia desde lo más profundo de su pecho, entonó un hechizo rítmico constituido todo de palabras que Lirazel jamás
había oído antes, un antiquísimo sortilegio que convocaba el
retiro del País de los Elfos lejos de la Tierra. Y las flores ma-

ravillosas oyeron con sus pétalos bañados en la música y las notas profundas inundaron los prados; todo el palacio se estremeció con los más refulgentes, colores; un encantamiento cubrió la llanura hasta la frontera de crepúsculo y un temblor recorrió el bosque encantado. Pero el Rey de los Elfos seguía cantando. Las resonantes notas portentosas llegaron hasta las Montañas Feéricas y toda la línea de sus cumbres se estremeció como colinas en el aire caliente cuando el calor del verano sube desde los páramos y baila visible en el aire. Todo el País de los Elfos escuchó, todo el País de los Elfos obedeció al hechizo. Y entonces el rey y su hija se alejaron como se aleja el humo de los nómades por sobre el Sahara desde sus tiendas de pelo de camello, como se alejan los sueños al alba, como las nubes a la puesta del sol. Todo el País de los Elfos se alejó con ellos y dejaron la planicie desolada, la terrible región desértica, la tierra desencantada. Tan de prisa fue lanzado el hechizo, tan de pronto obedeció el País de los Elfos, que muchas cancioncillas, viejos recuerdos, jardines o manzanos de años recordados, fueron barridos por el brusco ascenso y alejamiento del País de los Elfos y quedaron flotando lentamente hacia el este hasta que los prados feéricos hubieron desaparecido, y la linde de crepúsculo se elevó sobre ellos y los dejó esparcidos entre las rocas.

Y a dónde fue el País de los Elfos no lo sé, ni siquiera si siguió la curva de la tierra o se alejó más allá de nuestras rocas hacia el crepúsculo: había habido un encantamiento cerca de nuestros campos y ahora había desaparecido; dondequiera hubiera ido, era ese un sitio lejano.

Entonces el Rey de los Elfos cesó su sortilegio y todo estuvo consumado. En un momento que a nadie le es posible determinar, tan silenciosamente como las franjas sobre el sol poniente de oro se convierten en rosa o de rosa fulgurante a un acallado color sin luz, todo el País de los Elfos abandonó los bordes de los campos junto a los cuales su embeleso había estado latente durante siglos para los hombres, y partió, a dónde no lo sé. Y el Rey de los Elfos volvió a sentarse en su trono de niebla y hielo y sentó otra vez a su hija Lirazel sobre sus rodillas, y la calma que su encantamiento había quebrado volvió pesada y profunda sobre el País de los Elfos. Pesada y profunda cayó sobre los prados, pesada y profunda sobre las flores; cada deslumbrante hoja de hierba estaba tan inmóvil en su curva cómo si la Naturaleza en un momento de duelo hubiera dicho «Silencio» ante la súbita muerte del mundo; y las flores siguieron soñando en su belleza inmunes al otoño y al viento. Sobre los páramos de los trasgos se tendía la calma del Rey del País de los Elfos, donde el humo de sus extrañas viviendas flotaba inmóvil en el aire; y en un bosque en el que, aquietaba el temblor de millares de pétalos de rosas, acallaba los estanques donde reinaban grandes lirios, hasta que sus reflejos, durmieron un sueño esplendoroso. Y allí, bajo las frondas inmóviles de los árboles ensoñados, sobre las aguas serenas que soñaban con el aire silenciado, donde las enormes hojas de los lirios flotaban verdes en calma, estaba el trasgo, Lurulu sentado en una hoja. Porque ese era el nombre que en el País de los Elfos se le daba al trasgo que había ido a Erl. Se estaba allí sentado contemplando en el agua su aire de descaro. Se miraba, se miraba y se miraba.

Nada se movía, nada cambiaba. Todo estaba sereno y reposaba en la profunda alegría del rey. El Caballero de la Guardia portó nuevamente la espada y luego se mantuvo inmóvil en su puesto perpetuo como una armadura cuyo propietario hubiera estado muerto durante siglos. Y el rey seguía sentado silencioso con su hija en las rodillas, con los ojos azules inmóviles como los picos celestes que por los amplios ventanales resplandecían desde las Montañas Feéricas.

Y el Rey de los Elfos no se movía, no cambiaba; sino que se mantenía en el momento en que había hallado la alegría; y dejó que su influencia impregnara todos sus dominios para bien y bienestar del País de los Elfos; porque tenía todo que nuestro perturbado mundo con todos sus cambios busca y tan rara vez encuentra y debe por fuerza abandonar en seguida. Había encontrado la alegría y la conservaba.

Y en la calma que se asentó sobre el País de los Elfos, diez años transcurrieron en los campos que conocemos.

Capítulo XVI

ORIÓN DA CAZA AL VENADO

Transcurrieron diez años en los campos que conocemos y Orión creció y aprendió el arte de Oth, tenía la sagacidad de Threl y conocía los bosques, las cuestas y los valles de los bajos como muchos otros niños saben multiplicar cifras por otras cifras y extraer pensamientos de una lengua que no es la propia y ponerlos en palabras de la propia lengua. Y poco sabía de las cosas que pueden hacerse con tinta y cómo pueden apuntarse con ella los pensamientos de un hombre muerto para maravilla de los años venideros, contar acontecimientos desde hace ya mucho pasados, ser para nosotros una voz de la oscuridad del tiempo y salvar muchas cosas frágiles del pesado martillo de los siglos; o traernos por sobre los años veloces aun una canción de labios desde hace ya

nucho tiempo muertos en una colina olvidada. Poco sabía de
a tinta; pero el roce de los pies de un corzo sobre la tierra seca
lesde hacía ya tres horas, era para él un claro sendero, y nada
>asaba por los bosques sin que Orión leyera su historia. Y
>odos los sonidos de los bosques estaban tan llenos para él de
in claro significado, como para un matemático los signos y
as cifras que traza cuando divide sus millones por dieces,
>nces y doces. Sabía por el sol, la luna y el viento qué pájaros
legarían al bosque, sabían si las estaciones venideras serían
enignas o severas, sólo algo mas tarde que las mismas bestias
.el bosque, que no tienen razón ni alma humanas y que sa-
en tanto más que nosotros.

De modo que al crecer llegó a tener conocimiento aun del
umor de los bosques, y podía entrar a su sombrío abrigo
omo una de las bestias silvestres. Y de todo esto era capaz
uando no tenía más que catorce años; y muchos hombres
iven todos sus años sin poder jamás penetrar en un bosque
n alterar el humor entero de sus modalidades oscuras. Por-
ue los hombres penetran un bosque quizá con viento a favor,
>zan los tallos, pisan las ramillas; hablan, fuman o caminan
iidosos; y los grajos claman en su contra, las palomas
>andonan los árboles, los conejos se precipitan en busca de
fugio y muchas más bestias de las que ellos tienen conoci-
iento se apartan con pies silenciosos ante su llegada. Pero
>rión se movía como Threl, con calzado de piel de ciervo y
paso de un cazador. Y ninguna de las bestias del bosque se
iteraba de su llegada.

Y llegó a poseer una pila de pieles como Oth, que ganó
>n su arco en el bosque; y colgaba grandes cornamentas de
nados en el salón del castillo, muy alto, entre viejas cor-
imentas donde la araña había habitado por siglos. Y este era

uno de los signos por los que el pueblo de Erl llegó a reco-
nocerlo como su señor, porque no había nuevas de Alveric y
todos los antiguos señores de Erl habían sido cazadores de
ciervos. Y otro signo fue la partida de la bruja Ziroonderel
que volvió a su colina; y Orión vivía ahora solo en el castillo
y ella moraba en su cabaña otra vez, donde crecían sus coles
en las tierras altas cerca del trueno.

Y todo ese invierno Orión dio caza al venado en el bosque
pero cuando llegó la primavera guardó su arco. Sin embargo, durante toda la estación del canto y las flores sus pensamientos seguían centrados en la caza; e iba de casa en casa
dondequiera un hombre tuviera uno de los largos perros delgados que cazan. Y a veces compraba al perro y otras el hombre le prometía prestárselo cuando llegaran los días de caza. De
este modo Orión llegó a tener una jauría de perros de largo
pelaje y deseaba que la primavera y el verano pasaran. Y una
tarde de primavera, mientras Orión atendía a sus perros y los
aldeanos estaban casi todos a sus puertas para observar la
longitud del día, llegó por la calle un hombre a quien nadie
conocía. Venía de las tierras altas, envuelto en ropas muy gas-
tadas que le colgaban del cuerpo como si le hubieran colgado
desde siempre y formaran parte de él, pero también formaran parte de la tierra, porque la arcilla de los campos las había teñido de
su profundo color pardo. Y la gente observó el paso fácil de un
poderoso caminante y la fatiga de sus ojos; y nadie sabía quién era.

Y entonces una mujer dijo:

—Es Vand, que era sólo un muchacho.

Y todos entonces lo rodearon porque por cierto era Vand
que había dejado a sus ovejas hacía más de diez años atrás
para cabalgar con Alveric nadie sabía a dónde.

—¿Cómo se encuentra nuestro señor? —preguntaron.

Y los ojos de Vand se llenaron de cansancio.

—Sigue la búsqueda —dijo.

—¿Por dónde? —preguntaron.

—Hacia el norte —dijo—. Todavía busca el País de los Elfos.

—¿Por qué lo abandonaste? —preguntaron.

—Perdí las esperanzas —respondió él.

Entonces ya no siguieron interrogándolo, porque todos los hombres sabían que para buscar el País de los Elfos hacen falta grandes esperanzas, y sin ellas no se veían ni atisbos de las Montañas Feéricas, serenas, de un azul inalterable. Y entonces se acercó a la carrera la madre de Niv.

—¿Es de veras Vand? —preguntó.

Y todos le respondieron:

—Sí, es Vand.

Y mientras todos murmuraban entre sí acerca de Vand y de cómo los años y el andar errante lo habían cambiado, ella le dijo:

—Cuéntame de mi hijo.

Y Vand le contestó:

—Dirige la búsqueda. En él confía más que en nadie mi señor.

Y todos se asombraron y, sin embargo, no había causa de asombro porque era esa una búsqueda loca.

Sólo la madre de Niv no se asombró.

—Sabía que así sería —dijo—. Sabía que así sería.

Y experimentó una gran alegría.

Hay acontecimientos y estaciones para satisfacción del ánimo de cada cual, aunque pocos en verdad podrían haberse adecuado al temple de Niv; pero Alveric inició entonces la búsqueda del País de los Elfos y Niv encontró su misión.

Y conversando con Vand ya avanzada la tarde, la gente de Erl escuchó muchas historias de muchos campamentos, muchas marchas, una historia de viajes sin provecho en los que Alveric visitaba horizontes año tras año como un fantasma. Y a veces de la tristeza de Vand, nacida de esos años sin fruto, surgía, una sonrisa al contar algún episodio gracioso sucedido en el campamento. Pero todo esto lo contaba alguien que había perdido las esperanzas en la búsqueda. No era modo de contarlo, no con dudas, no con sonrisas. Porque una búsqueda semejante sólo pueden contarla aquellos impulsados por su gloria: del cerebro enloquecido de Niv o del juicio herido por la luna de Zend podríamos haber obtenido nuevas de la búsqueda que iluminaran nuestra mente con algo de la luz de su significación; pero nunca de la historia, constituida de hechos o de escarnios, contada por alguien a quien la búsqueda misma ya no puede retener. Aparecieron las estrellas y todavía Vand estaba contando sus historias, y una por una la gente volvía a su casa sin interesarse ya por oír más de la desesperanzada búsqueda. Si el cuento hubiera sido contado por alguien aferrado a la fe que guiaba todavía a los hombres de Alveric, las estrellas habrían empalidecido antes de que la gente dejara al narrador, el cielo se habría iluminado tanto antes de que lo dejara, que alguien habría dicho por fin: «¡Vaya! Ya es de día.» Hasta entonces nadie se habría ido.

Y al día siguiente Vand volvió a los bajos y a las ovejas y ya no se cuidó más de románticas búsquedas.

Y durante esa primavera los hombres volvieron a hablar de Alveric, asombrándose de su búsqueda, preguntándose a dónde habría ido Lirazel, adivinando por qué; y cuando no les era posible adivinarlo, inventaban algún cuento que lo explicara, que iba de boca en boca hasta que terminaban por creerlo. Y la primavera pasó, olvidaron a Alveric y obedecieron la voluntad de Orión.

Y luego un día, mientras Orión esperaba el fin del verano con el corazón puesto en los días de escarcha y soñando con perros en las tierras altas, Rarmok el enamorado llegó a los bajos por el camino por el que había vuelto Vand, y se dirigió a Erl. Rannok, con el corazón liberado por fin, despreocupado, aliviado, contento, sólo en busca de descanso después de su largo viaje, ya sin suspiros. Y sólo esto habría hecho posible que Vyria lo aceptara, la joven que otrora él cortejaba. De modo que el final de la cuestión fue que se casaron y ya nunca más emprendió Rannok búsquedas fantásticas.

Y aunque algunos durante muchas tardes contemplaron las tierras altas hasta que los días fueron acortándose y un viento extraño movió las hojas y algunos espiaban por sobre las curvas más lejanas de los bajos, ya nadie vio a ninguno de los seguidores de Alveric volver por el camino andado por Vand y Rannok. Y cuando llegó el tiempo en que las hojas eran una maravilla de oro y escarlata, los hombres ya no hablaron de Alveric, sino que obedecieron a Orión, su hijo.

Y en esta estación Orión se levantó un día antes del amanecer, cogió su cuerno y su arco y fue en busca de sus perros, que se asombraron al oír su paso antes de la llegada de la luz lo oyeron en sueños, se despertaron y se agitaron clamorosos a su alrededor. Y él los soltó, los tranquilizó y fue con ellos a los bajos. Y llegaron a la solitaria magnificencia de los bajos mientras los venados se alimentan de hierbas cubiertas de rocío antes de que los hombres estén despiertos. Todos, Orión y sus perros, corrieron en la húmeda mañana fresca por las cuestas resplandecientes en precipitada carrera. El olor del

tomillo impregnaba denso el aire que Orión respiraba
mientras, atravesaba sus macizos florecidos tardíamente ese
año. A los perros les llegaban todos los perfumes errantes de
la mañana. Y qué criaturas silvestres había habido en la colina en la oscuridad, qué camino habían seguido en sus diversos cometidos y a dónde habían ido al llegar el día con la
amenaza del hombre, Orión se lo preguntaba y lo adivinaba;
pero para los perros todo eso era claro. Y con cuidadosas
narices observaron algunos olores, algunos desdeñaron y a
uno buscaron en vano, porque el olor del gran ciervo rojo no
estaba en los bajos aquella mañana.

Y Orión los condujo muy lejos del valle de Erl pero no
vio venado alguno ese día y ni una vez el viento trajo el olor
que los perros ansiosos buscaban, ni lo encontraron tampoco escondido entre la hierba y, las hojas. Y la tarde cayó sobre
él conduciendo a los perros de regreso, y a los demorados
llamó con su cuerno mientras el sol se volvía enorme y escarlata; y más lejanos que los ecos de su cuerno, más allá de
los bajos y la niebla, pero con toda claridad cada nota
de plata, oyó los cuernos feéricos que lo llamaban siempre al
atardecer.

Con la gran camaradería de una común fatiga él y sus
perros volvieron a casa en la oscuridad bajo las estrellas. Las
ventanas de Erl por fin reflejaron la luz de la bienvenida. Los
perros volvieron a sus perreras y comieron y yacieron en un
sueño satisfecho; Orión volvió a su castillo. También él comió
y luego se quedó pensando en los bajos, en sus perros y en
aquel día, con la mente arrullada por la fatiga hasta ese punto
en que reposa más allá de todo cuidado.

Y muchos días pasaron así. Y entonces, una mañana bañada de rocío, llegado por sobre una loma de los bajos, vie-

ron a un venado allí abajo a lo lejos, que comía cuando todo el resto se había ido. Todos los perros irrumpieron en jubiloso clamor, el pesado venado se movió ágil por sobre la hierba, Orión disparó una flecha y erró; todas estas cosas sucedieron en un instante. Y entonces todos los perros se lanzaron a la carrera, el viento les pasaba por sobre el lomo en una onda y el venado se alejó como si en cada una de sus patas hubiera tenido un pequeño resorte danzante. Y al principio los perros fueron más veloces que Orión, pero él era tan infatigable como ellos y cogiendo a veces por caminos más cortos que el que ellos cogían, se les mantuvo cerca hasta que llegaron a un arroyo, vacilaron y empezaron a necesitar la ayuda de la razón humana. Y la ayuda que puede procurar la razón humana en asunto semejante, Orión la procuró, y pronto estaban otra vez en marcha. Y transcurrió la mañana mientras iban de colina en colina sin haber visto al venado por segunda vez; y transcurrió la tarde y todavía los perros seguían cada paso del venado con una habilidad tan extraña como la magia. Y hacia el crepúsculo Orión lo vio: iba lento por la cuesta de una colina sobre la hierba áspera que brillaba a la luz del sol poniente. Animó a sus perros que lo persiguieron a través de tres pequeños valles más, pero al llegar a lo más profundo del tercero, se volvió entre las piedras de un arroyo y esperó allí la llegada de los perros. Y éstos llegaron aullando a su alrededor mirando su parda cornamenta. Y allí lo desgarraron y lo mataron al ponerse el sol. Y Orión hizo sonar su cuerno con una gran alegría en el corazón: nada más quería que esto. Y con una nota semejante a la de la alegría, como si también ellos se regocijaran o se burlaran de su regocijo por sobre colinas que él no conocía quizá desde el otro extremo del crepúsculo, los cuernos del País de los Elfos le respondieron.

Capítulo XVII

LLEGA EL UNICORNIO
A LA LUZ DE LAS ESTRELLAS

Y llegó el invierno y cubrió de blanco los techos de Erl y
todo el bosque y las tierras altas. Y cuando Orión salió con
sus perros en la mañana, el mundo yacía como un libro recién escrito por la Vida. Por aquí había pasado el zorro y por
allí el tejón; más allá el ciervo rojo había abandonado el
bosque; las huellas atravesaban los bajos hasta perderse de
vista como los hechos de los estadistas, los soldados, los
cortesanos y los políticos aparecen en las páginas de la historia y desaparecen de ellas. Aun los pájaros tenían su registro en esos bajos blancos donde la mirada podía seguir sus
frágiles garras hasta que de pronto a cada lado de una huella
aparecían tres pequeñas cicatrices donde la punta de sus
plumas más largas había rozado la nieve, y allí se desvanecían
las huellas totalmente. Eran como una proclama popular,
como una vehemente fantasía que aparece en una página de
historia por un día y pasa luego, sin dejar otro registro, salvo esas líneas en una página.

Y entre todos estos registros dejados por la historia de la
noche, elegía Orión la huella de algún gran venado que hubiera pasado por allí hacía no mucho y la seguía con sus perros por los bajos hasta que ni siquiera el sonido de su cuerno se oía ya en Erl. Y sobre una loma con sus perros, negros
contra los rojos restos del sol poniente, la gente de Erl lo veía
regresar; y a menudo eso no ocurría hasta que todas las estrellas estuvieran brillando, a través de la helada. Con frecuencia la piel de un ciervo rojo le colgaba de los hombros

y la enorme cornamenta se agitaba y saludaba desde su cabeza.

Y por ese entonces se reunieron en la herrería de Narl, todos desconocidos de Orión, los hombres del parlamento de Erl. Se reunieron después de ponerse el sol una vez terminado cada cual su trabajo. Y con aire grave a cada uno le escanció Narl el hidromiel elaborado con miel de trébol; y cuando todos hubieron llegado, se sentaron en silencio. Y entonces Narl rompió el silencio y dijo que Alveric ya no gobernaba en Erl y que su hijo era el Señor de Erl; y repitió que otrora habían deseado que un señor dotado de magia gobernara el valle y lo hiciera famoso, diciendo que éste era el destinado para ello.

—¿Y dónde está ahora —preguntó— la magia que habíamos esperado? Porque caza el ciervo como todos sus ancestros lo cazaron y ninguna magia le ha venido desde el otro lado; nada hay aquí de nuevo.

Oth se puso de pie para defenderlo.

—Es tan veloz como su jauría —dijo— y caza desde el amanecer hasta ponerse el sol, cruza los más lejanos bajos y vuelve sin fatiga.

—Eso es consecuencia de su juventud —dijo Guhic. Y todos lo repitieron, salvo Threl.

Y Threl se puso en pie y dijo:

—Tiene un conocimiento de las modalidades de los bosques y de las historias de las bestias que sobrepasa el conocimiento de los hombres.

—Tú se lo enseñaste —dijo Guthic—. No hay magia en ello.

—Nada de esto —dijo Narl— viene del otro lado.

Así discutieron un tiempo y se lamentaron de la pérdida de la magia que habían esperado porque no hay valle que la

historia no toque cuanto menos una vez, ni aldea cuyo
nombre no esté un tiempo en labios de los hombres; sólo la
aldea de Erl carecía por entero de mención; no hubo siglo que
la conociera más allá de la circunferencia de sus bajos. Y ahora
todos los proyectos que de tanto tiempo atrás habían concebido, parecían haberse arruinado, y no tenían otra esperanza
que la habida en el hidromiel elaborado con miel de trébol. A
éste se volvieron en silencio. Estaba bien elaborado.

Y en un instante nuevos planes llamearon claros en sus
mentes, nuevos proyectos, nuevos recursos; y los debates en el
parlamento de Erl fluyeron profusos con orgullo. Y habrían
trazado un plan y adoptado una política; pero Oth se puso en
pie. Había en una casa de piedra en la aldea de Erl, una
Crónica, un volumen encuadernado en cuero, y en él, en
ciertas ocasiones, la gente escribía toda clase de cosas, la sabiduría de los cazadores acerca de las huellas de los venados
y la sabiduría de los profetas que hablaba del sino de la Tierra. Dos líneas de la crónica citó Oth, que recordaba haber
leído en una de sus viejas páginas; todo el resto de la página
hablaba del uso de la azada; estas líneas, recitó ante el parlamento de Erl, que bebía el hidromiel que tenía por delante en
la mesa.

«Embozados y velados con sus nocturnas trenzas
Traerán los Hados lo que ignora el profeta.»

Y entonces ya no siguieron tejiendo proyectos, porque un
cierto temor reverente que parecía haber en los versos les se-
renó el ánimo, o quizá fuera que el hidromiel era más fuerte
que nada escrito en los libros. Sea como fuere, se quedaron
sentados en silencio con el hidromiel por delante. Y recién

salidas las estrellas, cuando el occidente fulguraba todavía, se iban de la casa de Narl de vuelta a la suya murmurando entre sí que no tenían señor dotado de magia en el gobierno de Erl, que salvara del olvido a la aldea y al valle que amaban iban separándose de a uno a medida que llegaban a sus casas. Y tres o cuatro que vivían en el extremo de la aldea del lado de los bajos no habían llegado a su puerta, cuando, blanco y claro a la luz de las estrellas y del resto del crepúsculo, vieron un unicornio perseguido y fatigado que cruzaba los bajos. Se detuvieron, miraron, entornaron los ojos, se acariciaron las barbas y meditaron. Y seguía siendo un unicornio blanco que galopaba fatigado. Y luego oyeron el clamor de la jauría de Orión que se acercaba.

Capítulo XVIII

LA TIENDA GRIS A LA CAÍDA DE LA TARDE

El día que el unicornio perseguido cruzó el valle de Erl, hacía ya más de once años que Alveric andaba errante. Durante más de diez años, un grupo de seis, pasaba por las espaldas de las casas, por el borde de los campos que conocemos, y acampaban al caer la tarde con su extraña tela que colgaba gris de estacas. Y fuera que el raro encanto de su búsqueda se reflejara en las cosas que la rodeaban o no, lo cierto es que esos campamentos suyos eran siempre lo más raro del paisaje; y a medida que la tarde iba haciéndose más gris en su entorno el encanto y el misterio crecían.

Y a pesar de toda la vehemencia de la ambición de Alveric viajaban ociosa y lentamente: a veces en un sitio de acampamento agradable se demoraban tres días y seguían luego adelante con paso sereno. Andaban nueve o diez millas y volvían a acampar. Algún día, en lo más íntimo de sí Alveric lo sentía, verían la linde de crepúsculo, algún día entrarían en el País de los Elfos. Y en el País de los Elfos, lo sabía, el tiempo no era como aquí: encontraría a Lirazel en plena juventud, sin una sola sonrisa perdida por el avasallamiento de los años, sin un solo surco abierto por la ruina del tiempo. Esta era su esperanza; y esta esperanza suya conducía al extraño grupo de campamento en campamento, los alentaba en torno al fuego en noches solitarias y los guiaba lejos hacia el norte, viajando siempre por el borde de los campos que conocemos, donde todas las miradas se dirigen al punto opuesto y los seis errantes viajeros pasaban invisibles e inadvertidos. Sólo la mente de Vand demoraba la esperanza, y cada vez más, año tras año, su razón negaba el señuelo que atraía al resto. Y luego, un día, perdió la fe en el País de los Elfos. Después sólo siguió adelante hasta que un día el viento llegó cargado de lluvia, todo estaba frío y húmedo y los caballos cansados; entonces los dejó.

Y Rannok lo siguió porque no tenía esperanza en el corazón y deseaba apartarse del dolor; hasta que un día en que todos los mirlos cantaban en los árboles de los campos que conocemos, lo invadió la desesperanza a pleno sol resplandeciente y pensó en las casas confortables y en las moradas de los hombres. Y también él una noche abandonó el campamento y partió en dirección de las tierras complacientes.

Y ahora los cuatro que quedaban estaban unidos por una sola idea, y bajo la áspera tela húmeda que colgaba de las estacas había un profundo contento en las noches. Porque Alveric se aferraba a su esperanza con toda la fuerza de su raza

que había conquistado otrora a Erl en viejas batallas y la había
conservado por siglos, y en las mentes baldías de Niv y Zend
esta idea se había hecho fuerte y vasta, como una rara flor
plantaba por un jardinero al azar en un salvaje terreno sin
cultivo. Y Thyl cantaba la esperanza; y todas sus frenéticas
fantasías, que rondaban después del canto, llenaban cada vez
de más embeleso la búsqueda de Alveric. De modo que a todos los unía la misma idea. Y más grandes búsquedas, desati-
nadas, o cuerdas, han prosperado cuando esto ha sido así, y
más grandes búsquedas han fracasado cuando ha sido de otro
modo.

Durante años habían ido hacia el norte a espaldas de
aquellas casas; y un buen día se volvían hacia el este, fuera
porque cierto aspecto del cielo, un tinte de misterio, en el
crepúsculo o una mera profecía de Niv parecía sugerir la
proximidad del País de los Elfos. En esas condiciones se trasladaban sobre las rocas que todos esos años habían bordeado los
campos que conocemos, hasta que Alveric advertía que las
provisiones que llevaban para los hombres y los caballos
apenas bastarían para volver a las casas de los hombres. Entonces volvía atrás, pero Niv los hubiera hecho seguir adelante
todavía sobre las rocas, porque su entusiasmo crecía a medida
que avanzaban; y Thyl les cantaba profecías de feliz término;
y Zend decía que veía las cumbres y las agujas del País de los
Elfos; sólo Alveric era juicioso. Y así volvían a las casas de
los hombres otra vez y compraban nuevas provisiones. Y Niv,
Zend y Thyl hablaban de la búsqueda dando salida al entusiasmo que les quemaba el corazón; pero Alveric no hablaba
de ella, porque había aprendido que los hombres de aquellos
campos no hablaban del País de los Elfos ni miraban en su
dirección, aunque no había aprendido por qué.

Pronto estuvieron de nuevo en camino y la gente que les había vendido el producto de los campos que conocemos los seguía con la mirada como si pensaran que de la sola locura o de los sueños inspirados por la luna provenían las palabras que habían oído de Niv, Zend y Thyl.

Así, pues, proseguían el viaje buscando siempre puntos nuevos desde donde descubrir el País de los Elfos; y a su izquierda flotaban los olores de los campos que conocemos, el olor de los lirios de los jardines de las cabañas en mayo, luego el olor del abrojo blanco y luego el de las rosas, hasta que el aire se espesaba con el olor del heno recién segado A lo lejos, a la izquierda oían el mugir de las vacas, oían voces humanas y el grito de la perdiz; oían todos los sonidos que se levantan de las granjas dichosas; y a la derecha se extendía siempre la tierra desolada: siempre rocas, nunca hierbas ni flores. Ya no tenían la compañía de los hombres y, sin embargo, no les era posible encontrar el País de los Elfos. Por eso les hacía falta las canciones de Thyl y la esperanza inquebrantable de Niv.

Y el rumor de la búsqueda de Alveric cundió por la tierra y se adelantó a su camino, hasta que todos los hombres junto a los que pasaba conocían ya su historia; y de algunos recibía el desprecio que cierta gente siente por los que dedican todos los días de su vida a una búsqueda, y de otros recibía honores; pero todo lo que él pedía eran provisiones que compraba cuando se las traían. Así siguieron adelante. Como las cosas legendarias, pasaban a espaldas de las casas y levantaban su informe tienda gris en los grises atardeceres. Llegaban tan silenciosos como la lluvia y se iban como la niebla que se levanta. Se hacían bromas sobre ellos y también canciones. Y las canciones sobrevivieron a las bromas. Por último se convirtieron en una leyenda que habitó en esos huertos por siempre: de ellos se hablaba cuando se hablaba de búsquedas sin esperanza y eran objeto de risa o de glorificación, según lo que los hombres tuvieran que ofrecer.

Y todo ese tiempo el Rey del País de los Elfos vigilaba, porque por magia sabía cuándo la espada de Alveric estaba cerca; una vez había perturbado su reino, y el Rey del País de los Elfos conocía bien el sabor del hierro de piedra de rayo cuando lo sentía flotar en el aire. De éste había alejado sus fronteras dejando atrás esas tierras desoladas al apartarse el País de los Elfos; y aunque no conocía la extensión de los viajes humanos, había dejado un espacio cuya travesía habría fatigado a un cometa y, con razón, se sentía a salvo.

Pero cuando Alveric y su espada se habían alejado hacia el norte, el Rey de los Elfos aflojó el puño con el que había retirado el País de los Elfos, como la luna que retira las mareas las deja luego volver, y el País de los Elfos volvió como las mareas sobre las arenas llanas. Con una larga cinta de crepúsculo en sus bordes volvió flotando sobre el baldío rocoso; con viejas canciones volvió, con viejos sueños y con viejas voces. Y en un momento la linde de crepúsculo yacía resplandeciente cerca de los campos que conocemos, como una infinita tarde de verano que hubiera quedado demorada tras la edad de oro. Pero lúgubres y distantes hacia el norte, por donde Alveric erraba, las rocas ilimitadas todavía colmaban la tierra desolada; sólo a los campos de los que él, su espada y su grupo aventurero se habían alejado remotos, volvió como la marejada el País de los Elfos. De modo que otra vez cerca de la cabaña del talabartero y de las granjas de sus vecinos, sólo a tres campos de distancia, yacía la tierra colmada de todas las maravillas que con tanto afán buscan los poetas, el tesoro mismo de todo lo que es romántico; y las Montañas Feéricas atisbaban por sobre la linde serenas como si los picos celestes jamás se hubieran movido de allí. Allí los unicornios se apacentaban a lo largo del borde como era su costumbre, comiendo a veces en el País de los Elfos, hogar de todo lo fabuloso, los lirios que crecen al pie de las laderas de las Montañas Feéricas, a veces deslizándose a través de la luz de crepúsculo al anochecer, cuando todos nuestros campos están serenos, para alimentarse de las hierbas de la Tierra. Es por este anhelo que los asalta a veces de comer hierbas de la Tierra, al igual que una vez al año el ciervo rojo de las tierras altas siente anhelo del mar, que, aunque fabulosos por haber nacido en el País de los Elfos, su existencia es no obstante conocida entre los hombres. El zorro, nacido en nuestros campos, también cruza la frontera y penetra la luz de crepúsculo en ciertas estaciones; de ahí le viene el aire de misterio con que vuelve a nuestros campos. También él es fabuloso, pero sólo en el País de los Elfos, como los unicornios son fabulosos aquí.

Y rara vez la gente de esas granjas vio a los unicornios aun en la penumbra del atardecer, porque, sus caras se apartaban del País de los Elfos. La maravilla, la belleza, la historia del País de los Elfos, sólo eran para mentes que tuvieran el ocio que permite cuidarse de cosas tales; pero las cosechas necesitan a estos hombres, y las bestias que no son fabulosas, y los tejados, los setos y mil cosas más; sólo al final de cada año ganaban la batalla contra el invierno; sabían que si por un solo instante sus pensamientos se dirigían al País de los Elfos, su gloria no tardaría en ganarlos, y les arrebataría todo el tiempo y no podrían ya enmendar tejados ni setos, ni tampoco arar los campos que conocemos. Pero Orión atraído por

el sonido de los cuernos que soplaban desde el País de los
Elfos al caer la tarde, que cierta afinidad feérica de sus oídos
le permitía escuchar a él solo entre todos los de nuestros
campos, llegó con su jauría al campo por donde se extendía la
linde de crepúsculo, y allí encontró tarde una noche a los
unicornios. Y deslizándose a lo largo de un seto del campo
con los perros detrás, se interpuso entre un unicornio y la
linde y lo separó del País de los Elfos. Este era el unicornio
que, con cuello resplandeciente, cubierto de manchas de espuma que brillaban plateadas a la luz de las estrellas, jadeante
y cansado, atravesó el valle de Erl como una inspiración,
como una nueva dinastía a una tierra fatigada de la rutina, como
la nueva feliz de un nuevo continente traída por el súbito regreso de un marinero desde hace mucho hecho a la mar.

Capítulo XIX

DOCE ANCIANOS SIN MAGIA ALGUNA

Ahora bien, pocas cosas pasan por una aldea sin dejar
rumores detrás. Tal fue el caso de este unicornio. Porque los
tres que lo vieron pasar a la luz de las estrellas, se lo contaron
en seguida a sus familias, y muchos abandonaron sus casas
corriendo a comunicar a los demás la buena nueva, porque
toda nueva extraña era considerada buena en Erl, por causa
de las conversaciones que suscitaba; y las conversaciones eran
necesarias para animar las veladas una vez terminado el trabajo. De modo que hablaron mucho del unicornio.

Y al cabo de un día o dos, en la herrería de Narl volvió el
parlamento de Erl, sentados todos sus miembros con jarros de

hidromiel por delante mientras discutían el caso del unicornio. Y algunos se regocijaban y decían que Orión estaba dotado de magia, pues los unicornios eran de estirpe mágica y venían de más allá de nuestros campos.

—Por tanto —dijo uno— ha estado en tierras de las que no nos es propio a nosotros hablar, y está dotado de magia, como lo están todas las cosas que residen allí.

Y algunos estuvieron de acuerdo en ello y sostuvieron que sus planes habían dado fruto.

Pero otros dijeron que la bestia había pasado a la luz de las estrellas, si bestia era, y ¿quién podría asegurar que era en realidad un unicornio? Y uno dijo que a la luz de las estrellas era difícil verlo y otro, que no era fácil reconocer a los unicornios. Y luego empezaron a discutir el tamaño y la forma de estas bestias y a exponer todas las leyendas conocidas que hablaban de ellos, sin nunca llegar a ponerse de acuerdo si su señor había dado caza a un unicornio o no. Hasta que por último, al ver Narl que de este modo no llegarían nunca a conocer la verdad y considerando que era preciso establecer el hecho de un modo u otro de una vez para siempre, se puso en pie y les dijo que había llegado el momento de poner a votación el asunto. De modo que de acuerdo con un método que ellos tenían de echar conchillas de diversos colores dentro de un cuerno que ellos se iban pasando de mano en mano, votaron acerca del unicornio como lo había ordenado Narl. Y se hizo silencio y Narl contó. Y se comprobó que por votación quedaba establecido que no habían visto unicornio alguno.

Con pena vio entonces aquel parlamento de Erl que sus planes de contar con un señor dotado de magia habían fracasado; eran todos hombres ancianos, y perdida la esperanza que habían abrigado desde tanto tiempo atrás, les era más difícil forjar un plan nuevo que lo que les había sido antes forjar el antiguo. ¿Qué harían ahora? se preguntaron. ¿Qué había sido de la magia? ¿Cómo hacer para que el mundo recordara a Erl? Doce ancianos sin magia alguna. Se quedaron allí sentados con el hidromiel que ya no podía aligerar su tristeza.

Pero Orión había ido con sus perros cerca de la gran entrada del País de los Elfos, que se extendía como una marca alta y rozaba la hierba misma de los campos que conocemos. Se dirigió allí al ponerse el sol, cuando los cuernos que soplaban claros le servían de guía, y esperó allí, inmóvil al borde de esos campos, que los unicornios se deslizaran a través de la linde. Porque ya no les daba caza a los venados.

Y mientras, iba por esos campos tarde por la tarde, la gente que trabajaba en las granjas lo saludaba animadamente; pero a medida que avanzaba hacia el este, la gente le hablaba cada vez menos, hasta que, por último, cuando estuvo cerca de la frontera y aún siguió avanzando, apartaron la mirada y lo dejaron a él y a sus perros librados a sus propios recursos.

Y en el momento de ponerse el sol, estaba en pie inmóvil junto a un seto que avanzaba sobre la linde de crepúsculo, con los perros agrupados a su alrededor bajo el seto, con la mirada fija sobre todos ellos por temor de que alguno osara moverse. Y las palomas volvían a su morada en los árboles de los campos que conocemos, y también los estorninos canoros; y soplaban entonces los cuernos feéricos, una clara música argentina que animaba el aire frío, y todos los colores de las nubes cambiaban de pronto; era entonces, a esa luz desmayada, ya oscurecidos los colores, que Orión aguardaba una tenue forma blanca a través de la linde de crepúsculo. Y esa noche, justo cuando acalló a un perro con un movimiento de mano, justo cuando todos nuestros campos se desvanecieron en sombra, a través de la linde se deslizó un gran unicornio blanco que masticaba todavía lirios como los que nunca crecen en ninguno de los campos nuestros. Avanzó, una blancura sobre pies perfectamente silenciosos cuatro o cinco yardas dentro de los campos que conocemos se detuvo inmóvil como la luz de la luna y se quedó escuchando atento. Orión no se movió y mantuvo a sus perros en silencio por algún poder que tenía sobre ellos, o por alguna sabiduría que les era propia. Y, al cabo de cinco minutos el unicornio avanzó un paso o dos, y empezó a comer las largas y dulces hierbas de la Tierra. Y no bien avanzó, otros atravesaron la linde azul profundo de crepúsculo y de pronto había cinco que estaban allí comiendo. Y aún Orión se mantuvo inmóvil con sus perros y esperó.

Poco a poco los unicornios fueron alejándose de la linde, atraídos cada vez más adentro de los campos que conocemos por las hierbas de la Tierra profundamente ricas, que los cinco comían en la noche silenciosa. Si un perro ladraba, aun si un gallo cantaba, de inmediato se erguían sus cabezas y se mantenían vigilantes sin confiar en nada de los campos de los hombres ni aventurarse mucho en ellos.

Pero por último, el que había irrumpido primero por entre el crepúsculo se alejó tanto de su mágica residencia, que Orión pudo precipitarse entre él y la linde, y sus perros lo siguieron. Y entonces, si Orión hubiera estado jugando con la caza, si hubiera cazado sólo por un ocioso capricho y no por el profundo amor del arte de cazador que, sólo los cazadores conocen, entonces todo lo habría perdido: porque sus perros habrían perseguido a los unicornios más cercanos y estos habrían cruzado la linde en un instante y se habrían perdido, y si los perros los hubieran seguido, también ellos se habrían perdido y los afanes del día de nada habrían servido. Pero Orión azuzó a sus perros a la caza del más distante, vigilando sin cesar por si alguno de los perros trataba de perseguir a los otros; y uno de ellos empezó a hacerlo, pero el látigo de Orión estaba pronto. Y de ese modo impidió a su presa la vuelta a su morada, y sus perros, por segunda vez, se precipitaron clamorosos detrás de un unicornio.

No bien el unicornio oyó las pisadas de los perros y sus ojos, como el relámpago, vieron que no le era posible llegar a su morada encantada, se lanzó hacia delante con súbito brinco y avanzó como una flecha por los campos que conocemos. Cuando llegó a los setos, no pareció recoger sus miembros para saltar, sino deslizarse sobre ellos con músculos inmóviles, volviendo a galopar al tocar tierra nuevamente.

Al empezar la carrera los perros se adelantaron mucho a Orión y esto le posibilitó alejar al unicornio cada vez que éste intentaba volver a la tierra mágica; y al producirse esto, se acercaba otra vez a sus perros. Y la tercera vez que Orión alejó al unicornio, éste avanzó ya derecho y se internó en los campos de los hombres. El clamor de los perros atravesó la calma de la noche como una larga onda por sobre un lago dormido que sigue el camino invisible de un bañista extraño. En esa recta cabalgata el unicornio aventajó tanto a los perros, que Orión pronto sólo pudo verlo a la distancia, una mancha blanca que se deslizaba por una pendiente a las últimas luces de la tarde. Luego alcanzó la parte superior de un valle y se perdió de vista. Pero ese penetrante olor extraño que guiaba a los perros como una canción se demoraba claro en la hierba, de modo que nunca vacilaron ni se detuvieron, salvo por un instante en las corrientes. Aun allí sus narices precisas recogían el mágico rastro antes de que Orión llegara para darles ayuda.

Y mientras proseguía la caza, la luz del día se desvanecía, hasta que el cielo estuvo preparado para la llegada de las estrellas. Y una o dos estrellas aparecieron y una niebla se levantó de las corrientes y se extendió blanca sobre los campos, hasta que ya no les habría sido posible ver al unicornio aunque hubiera estado cerca frente a ellos. Los mismos árboles parecían dormir. Pasaron junto a casas pequeñas, solitarias, protegidas por olmos, separadas por altos setos de tejo, de los que erraban por los campos; casas que Orión no había visto nunca ni había conocido, hasta que el curso casual seguido por el unicornio lo hizo pasar de pronto junto a sus puertas. Los perros ladraron cuando ellos se acercaron y siguieron ladrando mucho tiempo por causa del olor mágico que flotaba en el aire y porque la voz de la jauría les decía que algo extraño estaba ocurriendo; y al principio ladraron porque habrían querido participar de lo que ocurría, y después para advertir a sus amos de la extrañeza. Ladraron mucho tiempo en la noche.

Y una vez, cuando pasaron junto a una casita oculta entre viejos arbustos espinosos, una puerta se abrió de pronto y una mujer se asomó para verlos pasar; no pudo haber visto más que formas grises, pero Orión, en un momento al pasar, vio todo el resplandor de la casa y la luz amarilla derramada en el frío. La alegre calidez lo animó y le habría gustado descansar en ese pequeño oasis del hombre en los campos solitarios, pero los perros se alejaban a la carrera y él los siguió; y los que estaban en las casas oyeron el paso de su clamor semejante al sonido de una tompeta cuyos ecos se alejan entre las colinas más remotas.

Un zorro los oyó llegar y se detuvo y escuchó; en un principio se sintió perplejo. Luego captó el olor del unicornio y todo fue claro para él porque supo por el mágico aroma que era algo llegado del País de los Elfos.

Pero cuando las ovejas captaron el aroma, se aterraron y corriendo se apiñaron hasta que ya no pudieron seguir corriendo.

El ganado se despertó sobresaltado, miró somnoliento e intrigado; pero el unicornio pasó entre ellos y siguió adelante como una brisa perfumada que desde los jardines del valle llega a las calles de la ciudad a través del tránsito ruidoso para perderse luego.

Pronto todas las estrellas contemplaban esos campos serenos en los que ocurría exultante la caza: una línea de vida vehemente que atravesaba el sueño y el silencio. Y entonces el unicornio, aunque todavía fuera del alcance de la vista, ya no ganaba distancia al llegar a cada seto. Porque al principio no perdía más tiempo ante cada uno de ellos, que el que pierde un pájaro al atravesar una nube, mientras que los perros se esforzaban para abrirse paso entre las aberturas que encontraban o se colocaban de lado para avanzar por entre los tallos de los matorrales.

Pero ahora cada vez más le costaba recuperar las fuerzas frente a cada seto y, a veces, rozaba la parte superior y tropezaba. Además, galopaba más lentamente; porque este era un viaje que ningún unicornio había emprendido nunca en la profunda calma del País de los Elfos. Y algo prevenía a los perros fatigados que se le estaban acercando. Y una nueva alegría resonaba en sus voces.

Cruzaron unos pocos setos más y allí se destacaba frente a ellos la oscuridad de un bosque. Cuando el unicornio penetró en el bosque el clamor de los perros sonaba claro en sus oídos. Un par de zorros lo vieron pasar lentamente y corrieron a su lado para ver qué sería de la mágica criatura que llegaba fatigada hasta ellos del País de los Elfos. Cada cual a un lado corrían manteniéndose a su paso lento y observándolo, y no tenían miedo de los perros a pesar de que oían su clamor, porque sabían que nadie que siguiera ese rastro mágico se apartaría en seguimiento de nada terreno. De modo que avanzó trabajosamente a través del bosque y los zorros lo observaban con curiosidad durante todo el camino.

Los perros penetraron el bosque y los grandes robles vibraban con el estrépito que metían, y Orión iba detrás con la sostenida velocidad que quizá recibiera de nuestros campos o que quizá le viniera de por sobre la barrera del País de los Elfos. La oscuridad del bosque era intensa, pero él seguía el clamor de los perros, y a éstos no les hacía falta ver con ese maravilloso rastro que los guiaba. Jamás vacilaron mientras seguían ese rastro, sino que avanzaron siempre a través del crepúsculo y la luz de las estrellas. En nada se parecía aquello a la caza del zorro o del venado, pues otro zorro puede cruzarse en la pista del zorro o un venado puede pasar por entre un rebaño de venados y ciervos; aun un rebaño de ovejas puede desconcertar a los perros al cruzar la pista que siguen; pero este unicornio era la única criatura mágica en nuestros campos esa noche y su rastro se depositaba inconfundible sobre la hierba terrena, un ardiente perfume encantado entre todo lo cotidiano. Lo persiguieron sin vacilar por el bosque hasta un valle, siempre en compañía de los zorros que lo observaban todavía; recogía los cascos con cuidado mientras descendía la colina como si su peso los dañara al bajar la pendiente; no obstante, su paso era tan veloz como el de los perros al descender; luego avanzó un tanto a lo largo de la depresión del valle, doblando a la izquierda no bien llegó abajo, pero entonces los perros le ganaron ventaja y él se dirigió a la pendiente opuesta. Y ya su fatiga no pudo ocultarse, lo que todas las criaturas silvestres ocultan hasta el final; forzó cada paso como si sus piernas arrastraran penosamente el peso del cuerpo. Orión lo vio desde la pendiente opuesta.

Y cuando el unicornio llegó a lo alto de la cuesta, los perros le estaban cerca por detrás, de modo que giró de pronto ante ellos con su único cuerno amenzante. Entonces los perros aullaron a su alrededor, pero el cuerno se agitaba y se inclinaba, con gracia tan veloz, que ningún perro fue capaz de alcanzarlo con sus dientes; conocían a la muerte cuando la tenían delante y, aunque estaban ansiosos por hincarle el diente, retrocedían de un salto ante el cuerno fulgurante. Llegó entonces Orión con su arco, pero no disparó, quizá porque era difícil lanzar una flecha sin riesgo por sobre su jauría, quizá por un sentimiento que nos es hoy conocido y que no nos es novedoso, a saber, que no era justo para el unicornio. Desenvainó en cambio una vieja espada que llevaba, avanzó entre los perros y se trenzó en lucha con ese cuerno mortal. Y el unicornio arqueó el cuello y resplandeció su cuerno ante Orión; y, aunque el unicornio estaba cansado, conservaba una poderosa fuerza en ese cuello musculoso como para lanzar una bien destinada estocada que Orión apenas pudo parar. Apuntó al cuello del unicornio, pero el gran cuerno desvió la espada de su meta y una vez más atacó a Orión. Éste de nuevo paró la estocada con todo el peso de su brazo y sólo por una pulgada libró su cuerpo. Volvió a apuntar al cuello y el unicornio desvió la espada casi con desprecio. Una y otra vez el unicornio apuntó al corazón de Orión; la enorme bestia blanca avanzaba y obligaba a Orión a retroceder. Ese cuello, graciosamente inclinado con su blanco arco de músculos endurecidos que blandía el cuerno mortal, estaba cansando el brazo de Orión. Una vez más lanzó una estocada y falló; vio los ojos del unicornio refulgir malignos a la luz de las estrellas, vio enteramente blanco por delante el terrible arco de su cuello, supo que ya no podría seguir desviando las pesadas estocadas; y entonces un perro se aferró con los dientes del brazuelo derecho. Ni un instante transcurrió antes de que muchos otros perros se abalanzaran sobre el unicornio, cada uno con un destino escogido en aquel cuerpo, aunque no parecían sino una canalla que se trasladará y abultara sólo al azar. Orión ya no siguió atacando porque muchos perros en nada de tiempo se interponían entre él y el cuello de su enemigo. Horribles bramidos emitía el unicornio, sonidos tales como los que no se oyen en los campos que conocemos; y luego no hubo ya otro sonido que el profundo gruñido de los perros, que rugían sobre el magnífico cadáver mientras se revolcaban en la sangre fabulosa.

Capítulo XX

UN HECHO HISTÓRICO

Entre los perros fatigados, renovados de furia y de triunfo, avanzó Orión con su látigo y los alejó del monstruoso cuerpo muerto, y manejó el látigo trazando un amplio círculo mientras con la otra mano sostenía la espada y cortó la cabeza del unicornio. También cogió la piel del largo cuello blanco y la arrancó dejándola colgar vacía de la cabeza. Durante todo el tiempo los perros aullaban y se precipitaban ansiosos uno por uno sobre el mágico cadáver cada vez que veían la oportunidad de eludir el látigo; de modo que transcurrió mucho tiempo antes de que Orión cobrara su trofeo, porque tan duro tenía que trabajar con el látigo como con la espada. Pero por último lo tuvo colgado por una correa de cuero desde sus hombros; el gran cuerno apuntaba hacia arriba por sobre la derecha de su cabeza y la piel ensangrentada le colgaba a lo largo de la espalda. Y mientras así lo disponía, permitió que los perros atormentaran de nuevo el cuerpo y probaran la sangre maravillosa. Los llamó luego e hizo sonar una nota en su cuerno; y después se volvió lentamente hacia su casa en Erl, y todos lo siguieron. Y los dos zorros se acercaron furtivos para gustar la curiosa sangre, porque esto es lo que habían estado esperando.

Mientras el unicornio ascendía su última colina, Orión experimentaba tal fatiga, que poco más podría haber avanzado, pero ahora que la pesada cabeza le colgaba de los hombros, toda fatiga había desaparecido y caminaba con tanta ligereza como por las mañanas, pues era ese su primer unicornio. Y sus perros parecían renovados como si la sangre que habían saboreado tuviera algún extraño poder, y volvieron a casa alborotados haciendo cabriolas y precipitándose como si estuvieran recién liberados de sus perreras.

Así volvió Orión por los bajos en la noche, hasta que vio el valle por delante cubierto por el humo de Erl, donde una luz demorada brillaba en una ventana de una de sus torres.

Y descendiendo las pendientes por caminos familiares, llevó a los perros a sus perreras; y antes de que el alba tocara lo
alto de los bajos, sopló el cuerno ante la puerta trasera. Y
cuando el guardián de la puerta le abrió, vio el gran cuerno
del unicornio que se bamboleaba por sobre la cabeza de
Orión.

Este fue el cuerno que en años posteriores le fue enviado
como regalo al Rey Francisco por el Papa. Benvenuto Cellini
nos habla de él en sus memorias. Nos dice que el Papa Cle-
mente lo mandó a buscar a él y a un cierto Tobbia y les ordenó que prepararan diseños para la engarzadura de un
cuerno de unicornio, el mejor nunca visto. Juzgad entonces
cuál no sería el deleite de Orión cuando el cuerno del primer
unicornio que cobrara era tal como para que generaciones
venideras lo estimaran el mejor nunca visto, y nada menos
que en Roma, ciudad que tantas oportunidades tenía de adquirir y comparar cosas semejantes. Porque muchos de estos
curiosos cuernos debió haber tenido el Papa a su disposición
como para escoger para el regalo el mejor nunca visto; pero
en los años más sencillos en que transcurre mi historia, la
rareza del cuerno era tan grande, que los unicornios se consi-
deraban todavía fabulosos. El año del regalo al Rey Francisco
debió de ser aproximadamente 1530 y el cuerno se montó en
oro; y el trabajo se le encomendó a Tobbia, no a Benvenuto
Cellini. Hago mención de la fecha porque hay quienes no se
interesan por el cuento que de vez en cuando no recibe la
confirmación de la historia, y que aun en la historia se cuidan
más de los hechos que de la filosofía. Si un lector semejante ha seguido la suerte de Orión hasta estas alturas, debe estar ya hambriento de una fecha o un hecho histórico. Como
fecha, le ofrezco, 1530. Como hecho histórico elijo el gene-

roso regalo mencionado por Benvenuto Cellini, pues bien puede que al llegar semejante lector a la mención de los unicornios, se haya sentido más alejado que nunca de la historia y haya experimentado extrema soledad por falta de hechos concretos. Cómo el cuerno del unicornio salió del Castillo de Erl, erró por diversas manos y llegó por último a la ciudad de Roma sería, por supuesto, materia de otro libro.

Pero todo lo que me hace falta ahora decir acerca de ese cuerno es que Orión llevó toda la cabeza a Threl, quien, le quitó la piel, la lavó e hizo hervir la cabeza durante horas; volvió a ponerle la piel y rellenó el cuello de paja; y Orión la puso en el lugar preferencial en medio de todas las cabezas que colgaban en el vasto salón. Y el rumor recorrió todo Erl tan de prisa como galopan los unicornios y todos supieron del magnífico cuerno que había cobrado Orión. De modo que el parlamento de Erl volvió a reunirse en la herrería de Narl. Se sentaron, a la mesa para discutir el rumor; y otros además de Threl habían visto la cabeza. Y en un principio, para cumplir con viejas facciones, algunos sostuvieron la opinión de que no había habido unicornio. Bebieron el buen hidromiel de Narl y discutieron en contra del monstruo. Pero al cabo de un tiempo, fuera que el argumento de Threl los convenciera o que cedieran por generosidad, que crecía como una hermosa flor del dulce hidromiel, las argumentaciones de los que se oponían al unicornio se debilitaron y cuando la cuestión se sometió a votación, se declaró que Orión había matado a un unicornio venido de más allá de los campos que conocemos.

Y de esto todos se regocijaron; porque veían por fin la magia que tanto habían anhelado y que habían planificado tantos años atrás cuando todos eran más jóvenes y había más esperanzas en sus planes. Y no bien se hubo votado, Narl trajo más hidromiel y volvieron a beber para señalar la feliz ocasión: porque la magia, por fin, decían, le había sido concedida a Orión y sin duda un glorioso futuro aguardaba a Erl. Y la amplia estancia, las candelas, los hombres amistosos y el profundo bienestar del hidromiel les posibilitó mirar el tiempo por adelantado y ver un año que no había llegado todavía, y contemplar glorias venideras aún algo lejanas. Y hablaron otra vez de los días, algo más cercanos ahora, en que las tierras distantes tuvieran noticia del valle que amaban: volvieron a hablar de la fama de los campos de Erl llevada de ciudad en ciudad. Uno alababa su castillo; otro, sus bajos inmensos; un tercero, el valle mismo oculto de todas las tierras; un cuarto, las tan queridas casas extrañas construidas por un viejo pueblo; un quinto la profundidad del bosques extendido sobre la línea del horizonte: y todos hablaron del tiempo en que el vasto mundo tuviera noticia de tanta maravilla por causa de la magia de que estaba dotado Orión; porque sabía que el oído del mundo era rápido para la magia y se volvía siempre hacia lo maravilloso aun cuando estuviera medio dormido. Sus voces subían en alabanza de la magia, en la descripción del unicornio, en la glorifiación del futuro de Erl, cuando de pronto en la entrada estaba el Libertador. Estaba allí con su larga túnica blanca ribeteada de malva, a la puerta con toda la noche por detrás. Cuando lo miraron a la luz de las candelas, vieron que llevaba un emblema colgado de una cadena de oro en torno al cuello. Narl le dio la bien venida, algunos acercaron una silla a la mesa; pero él los había oído hablar del unicornio. Elevó la voz desde donde se encontraba y los apostrofó:

—Malditos sean los unicornios —dijo— y todas sus modalidades y todas las cosas mágicas.

En el respetuoso temor que súbitamente alteró la dulce estancia, uno de los hombres exclamó:

— ¡Señor, no nos maldigas!

—Buen Libertador —dijo Narl— nosotros no cazamos unicornio alguno.

Pero el Libertador levantó la mano contra los unicornios volvió a maldecirlos.

—Maldito sea su cuerno —gritó— y el sitio en el que moran y los lirios de que se alimentan, y malditos todos los cantos que hablan de ellos. Malditos sean junto con toda criatura que está más allá de la salvación.

Hizo una pausa para darles lugar a que renunciaran a los unicornios, aún de pie a la puerta, mirando con severidad la estancia.

Y ellos pensaron en la suavidad de la piel del unicornio, en su velocidad, en la gracia de su cuello y en su vislumbrada belleza al pasar fugaz junto a Erl a la caída de la tarde. Pensaron en su poderoso cuerno terrible; recordaron viejas canciones que hablaban de él. Permanecieron sentados inquietos y no renunciaron al unicornio.

Y el Libertador conoció su pensamiento y volvió a levantar la mano, clara a la luz de las candelas con la noche por detrás.

—Maldita sea su velocidad —dijo— y su blanca piel suave; maldita sea su belleza y todo lo que de mágico tiene y todo lo que anda junto a corrientes encantadas.

Y vio todavía en sus ojos un demorado amor por todas esas cosas que él prohibía y, por tanto, no puso fin a sus palabras. Levantó aún más la voz y continuó:

—Y malditos sean los trasgos, los elfos, los gnomos y las hadas que andan en la tierra, y los hipogrifos y pegasos en el aire y las tribus todas de los pueblos bajo el mar. Nuestros ritos sagrados los prohíben. Y malditas sean todas las dudas, todos los sueños singulares, todas las fantasías. Y de la magia se aparte toda la gente honesta. Amén.

Se volvió súbitamente y se perdió en la noche. Un viento se demoró en la puerta y la cerró luego de un golpe. Y la gran estancia de la herrería de Narl estaba como unos instantes antes, pero el dulce ánimo que la había embargado parecía opacado y deslucido. Y Narl habló poniéndose al extremo de la mesa y rompió la lobreguez del silencio:

—¿Planificamos nuestros planes —dijo— hace ya tanto tiempo atrás y pusimos nuestra fe en la magia para que ahora renunciemos a las criaturas mágicas y maldigamos a nuestros, vecinos, los inofensivos habitantes de más allá de los campos que conocemos y a las hermosas criaturas del aire y, las enamoradas de los marineros muertos que habitan bajo el mar?

—No, no —dijeron algunos. Y bebieron otra vez a tragantadas el hidromiel.

Y luego uno se puso en pie con el cuerno de hidromiel sostenido en lo alto, y luego otro y otro más, hasta que todos estuvieron erguidos en torno de las candelas.

—¡Magia! —gritó uno. Y el resto en un solo acorde unió al grito hasta que todos estaban gritando—: ¡Magia!

El Libertador, camino de su casa, oyó el grito de «Magia», se envolvió en la túnica sagrada más estrechamente, apretó fuerte sus objetos sagrados y pronunció un hechizo que lo apartara de los demonios repentinos y de todas las cosas dudosas de la niebla.

Capítulo XXI

AL FILO DE LA TIERRA

Y ese día Orión dio descanso a sus perros. Pero al día siguiente se levantó temprano, se dirigió a las perreras, soltó a los regocijados perros en la mañana brillante y los condujo fuera del valle hacia los bajos una vez más junto a la linde de crepúsculo. Y ya no llevaba consigo el arco, sino sólo la espada y el látigo; porque había llegado a amar el regocijo de sus quince perros al cazar al monstruo unicorne y sentía que compartía el regocijo de cada uno de ellos, mientras que matar con una flecha no sería sino un regocijo singular.

Todo el día anduvo por los campos saludando aquí y allí a algún granjero o labrador del campo y recibiendo a su vez saludos y deseos de una buena caza. Pero cuando caía la tarde y se acercaba a la linde, cada vez menos gente lo saludaba al pasar, porque era evidente que se dirigía a donde nadie más lo hacía, al lugar del que se apartaban aun los pensamientos. De modo que avanzaba solitario, aunque anidando por ansiosos pensamientos y feliz de la camaradería de los perros; y tanto sus pensamientos como sus perros se volcaban a la caza.

Y así llegó nuevamente a la linde de crepúsculo donde los setos avanzaban hacia ella desde los campos de los hombres, se volvían extraños y confusos en un fulgor que no pertenece a nuestra tierra y desaparecían en el crepúsculo. Se quedó con sus perros junto a uno de estos setos en el sitio en que se perdía en el crepúsculo. La luz era allí, si a algo se asemejaba de esta tierra, como la neblinosa penumbra que acompaña a un seto, vista a través del campo, donde lo toca el arco iris: en el cielo el arco iris es claro, pero a través del

ancho campo su extremo apenas se divisa, aunque una ce-
lestial extrañeza ha tocado el seto y lo ha mudado. A una luz
semejante se veían los últimos espinos que crecían en los
campos de los hombres. Y algo más allá, como un ópalo
líquido, de luces errantes, se extendía la linde a través de la
cual ningún hombre puede ver y de la que ningún sonido
llega salvo el sonido de los cuernos feéricos para muy pocos
oídos. Los cuernos soplaban ahora horadando la barrera de
luz penumbrosa y el silencio con la mágica resonancia de su
nota argentina, que parecía atravesar todos los obstáculos
opuestos por las cosas hasta llegar al oído de Orión, como la
luz del sol atraviesa el éter para iluminar los valles de la luna.

Los cuernos callaron y ni el menor susurro llegaba del País
de los Elfos; y todos los sonidos fueron entonces los del
atardecer terreno. Aun éstos se volvieron escasos y, sin embargo, ningún unicornio apareció.

Un perro ladró a lo lejos; un carro, el único sonido sobre
un camino vacío, volvía a casa fatigado; alguien habló en un
sendero y luego dejó el silencio inquebrantado, porque las
palabras parecían ofender la quietud esparcida por todos
nuestros campos. Y en esa quietud Orión miraba la linde a la
espera de que algún unicornio avanzara a través del crepúsculo. Pero no había sido atinado volver al mismo sitio donde
sólo dos días antes había hallado a los cinco unicornios.
Porque de todas las criaturas, los unicornios son los más
cautelosos y guardan su belleza de los ojos de los hombre con
incesante vigilancia; están todo el día más allá de los campos
que conocemos y sólo rara vez penetran en ellos al caer la
noche cuando todo está acallado, con extremada precaución
y apenas aventurándose más allá de sus bordes. Encontrar
animales tales dos veces en el mismo sitio sólo a los dos días

con perros, después de perseguir y matar a uno de ellos era más improbable de lo que Orión pensaba. Pero el triunfo de su cacería le colmaba el corazón y la escena donde había ocurrido lo atraía a ella como suelen hacerlo escenas tales. Y ahora miraba la linde a la espera de que una de esas grandes criaturas la atravesara orgullosa: una gran forma tangible surgida de la penumbrosa opalescencia. Pero no llegó unicornio alguno.

Y estándose allí durante tanto tiempo, esos curiosos límites empezaron a seducirlo hasta que sus pensamientos acompañaron las luces errantes y deseó los picos del País de los Elfos. Y bien conocían esa seducción los que moraban en esas granjas junto al borde de los campos que conocemos, y con tino mantenían la mirada apartada de la colorida maravilla que estaba tan cerca de las espaldas de sus casas. Porque había una belleza en ella como la que no hay en todos nuestros campos; y se les dice a esos granjeros en su juventud que si contemplan esas luces errantes, ya no habrá alegría para ellos en los buenos campos, en los magníficos surcos pardos, en las olas de trigo o en ninguna de las cosas nuestras; porque sus corazones partirán al encuentro de cosas feéricas anhelando siempre montañas desconocidas y un pueblo al que jamás el Libertador dará su bendición.

Y estándose, mientras nuestra terrena tarde se desvanecía, al filo mismo de ese mágico crepúsculo, las cosas de la Tierra desaparecieron precipitadas de su memoria y de pronto sólo las cosas feéricas le importaban. De todos los que recorren los caminos de los hombres, sólo recordaba a su madre y repentinamente supo, como si el crepúsculo se lo hubiera dicho, que ella era encantada y que el suyo era un linaje mágico. Y nadie se lo había dicho, pero ahora él lo sabía.

Durante años había errado en la tarde preguntándose dónde habría ido su madre; se lo había preguntado en silenciosa soledad; nadie sabía lo que el niño se preguntaba: y ahora una respuesta parecía flotar en el aire; parecía como si ella estuviera sólo, a unos pasos más allá del crepúsculo encantado que dividía esas granjas del País de los Elfos. Avanzó tres pasos y llegó a la linde misma; su pie estaba en el extremo de los campos que conocemos; la linde le bañaba la cara como una niebla en la que todos los colores de las perlas danzaran gravemente. Un perro se agitó cuando él se movió, la jauría giró a una sus cabezas y lo miraron; él se detuvo y los perros se aquietaron otra vez. Trató de ver a través de la linde, pero sólo vio luces errantes hechas de la acumulación de crepúsculos de millares de días acabados, preserva por arte de magia para construir la barrera. Entonces llamó a su madre a través de ese imponente abismo, esos pocos pasos de etéreo crepúsculo sobre los campos, que tenía a un lado la Tierra y la morada de los hombres y el tiempo que medimos en minutos, horas y años, y al otro el País de los Elfos y otra manera de tiempo. La llamó dos veces y escuchó y volvió a llamar; y ni un grito ni un susurro llegó del País de los Elfos. Sintió entonces la magnitud del abismo que lo separaba de ella, y supo que era vasto, oscuro y poderoso, como los abismos que separan nuestro tiempo, de un día ya transcurrido; o los que separan la vida cotidiana, de las cosas de los sueños a los que, aran la tierra, de los héroes de los cantos; o a los que viven, de aquellos a los que los vivos lloran. Y la barrera titilaba y chisporroteaba como si cosa tan etérea no dividiera los años perdidos de esa hora volátil llamada Ahora.

Se estuvo allí con los gritos de la Tierra atenuados por la tarde avanzada a sus espaldas y el dulce resplandor del suave crepúsculo terreno; y ante él, junto a su cara, el completo silencio del País de los Elfos y la barrera que levantaba ese silencio, resplandeciente con su belleza extraña. Y entonces ya no pensó en las cosas terrenales, sino sólo contempló ese muro de crepúsculo, como los profetas que alternan con conocimientos prohibidos miran cristales nublados. Y a todo lo que era feérico en la sangre de Orión, a todo lo que de mágico tenía por el linaje de su madre, las lucecitas de la frontera hecha de crepúsculos seducían, tentaban y llamaban. Pensó en su madre que habitaba en solitaria paz más allá del furor del Tiempo, pensó en las glorias del País de los Elfos, oscuramente conocidas por mágicos recuerdos que le venían de su madre. A los pequeños clamores del atardecer terreno a sus espaldas, ya no los escuchaba ni los oía. Y con todos estos pequeños clamores, se le perdían también los usos y las necesidades de los hombres, las cosas que planifican, las cosas por las que se afanan y esperan y todas las pequeñas cosas que su paciencia logra. A la luz del nuevo conocimiento que le advino junto a la fulgurante frontera que era de mágico linaje su sangre, tuvo el inmediato deseo de despojarse de todo compromiso con el Tiempo y abandonar las tierras de su dominio, siempre arrasadas por su tiranía, dejarlas con no más de cinco cortos pasos, y entrar en la tierra atemporal donde se encontraba su madre con su padre mientras éste reinaba en su trono de niebla en el salón de sorprendente belleza, sólo adivinada por el canto. Ya no era Erl su patria ya no eran los usos de los hombres sus usos: ¡Ya no más esos campos bajo sus pies! Los picos de las Montañas Feéricas eran para él ahora lo que los aleros de paja para los que labran la tierra al caer la tarde; lo fabuloso, lo extraterreno era la patria de Orión. De este modo la linde de crepúsculo, contempla-

da en exceso, lo había encantado; tanta más magia tenía que
todo atardecer terreno.

Y hay quienes podrían haberla contemplado mucho
tiempo y, sin embargo, apartarse; pero esto a Orión no le era
fácil; porque aunque la magia tiene poder para encantar las
cosas terrenas, éstas responden al encantamiento con lentitud
y pesadez, mientras que todo lo que había de mágico en la
sangre de Orión, pronto como el rayo respondía a la magia
que resplandecía en los bastiones del País de los Elfos. Estaban hechos de las más extrañas luces que yerran por el aire,
los más espléndidos resplandores del sol que asombran a
nuestros campos a través de la tormenta, las nieblas que se
levantan de las pequeñas corrientes, el fulgor de las flores a la
luz de la luna, los extremos de nuestro arco iris con toda su
magia y su belleza y los fragmentos de atardeceres atesorados,
en la mente de los ancianos. Hacia este encantamiento
avanzó para terminar con las cosas mundanas, pero cuando
su pie tocó el crepúsculo un perro que había estado al lado de
él junto al seto, impedido de lanzarse a la caza durante tanto
tiempo, estiró su cuerpo tanto y emitió uno de esos bajos
aullidos de impaciencia que más que a ninguna de todas las
cosas mundanas se asemejan a un bostezo. Y un viejo hábito
hizo que Orión volviera la cabeza al oír ese sonido, vio al perro, se le acercó, lo acarició y se habría despedido de él, pero
todos los perros lo rodearon entonces oliéndole las manos y
mirándole la cara. Y allí, entre sus perros ansiosos Orión que
un instante antes tenía sueños fabulosos con pensamientos
que flotaban sobre las tierras mágicas y escalaban los picos encantados de las Montañas Feéricas, sintió de pronto el
llamado de su linaje terreno. No era que prefiriera cazar
a estar con su madre más allá del desgaste del tiempo, en las

tierras del Rey de los Elfos, su padre, más bellas que nada que hayan cantado los cantos; no era que amara tanto a sus perros que no pudiera dejarlos; pero sus ancestros se habían dedicado a la caza un siglo tras otro, como el linaje de su madre se había centrado desde siempre en la magia; y la llamada de la magia era intensa mientras miraba cosas mágicas, pero su viejo linaje terreno era igualmente intenso y lo llamaba a la caza. La hermosa linde de crepúsculo había dirigido sus deseos hacia el País de los Elfos; al instante siguiente sus perros hicieron que se volviera hacia otra dirección: a todos nosotros nos es difícil evitar el puño que nos aferra a las cosas terrenas.

Durante unos instantes Orión se quedó pensando entre sus perros, tratando de decidir a qué lado volverse, sopesando las pacíficas edades ociosas de los prados imperturbados y las glorias impasibles del País de los Elfos, y el sólido y bondadoso arado, las hierbas de pastoreo y los pequeños setos de la Tierra. Pero los perros estaban a su alrededor olfateando, llorando, mirándolo a los ojos, diciéndole: «¡Vamos, vamos!». Era imposible pensar en medio de todo ese tumulto; no podía decidir y los perros se salieron con la suya; y se fueron, juntos, por los campos que conocemos.

Capítulo XXII

ORIÓN DESIGNA A UN PERRERO

Y muchas veces volvió Orión con sus perros, mientras avanzaba el invierno, a esa maravillosa linde y esperaba allí mientras el crepúsculo terreno se desvanecía; y a veces veía llegar a los unicornios precavidos, silenciosos, cuando nuestros campos estaban acallados: grandes, hermosas formas blancas. Pero ya no llevó cuernos al castillo de Erl, ni volvió a cazar a esas criaturas en los campos que conocemos, porque sólo penetraban en ellos unos pocos pasos y no le fue ya posible a Orión interponerse en su camino. Una vez que lo intentó, estuvo a punto de perder a todos sus perros; algunos estaban ya dentro de la linde cuando él los obligó a volver con el látigo; sólo con que hubieran avanzado dos yardas más, el sonido de su cuerno terreno no les habría llegado. Esto fue lo que le enseñó que, a pesar de todo el poder que tenía sobre sus perros, y aun cuando hubiera algo de magia en ese poder, no le era posible a hombre alguno cazar con una jauría sin recibir ayuda, tan cerca de ese borde que ningún perro podía atravesar sin perderse para siempre.

Después de eso Orión observó a los muchachos que jugaban por la tarde en Erl, hasta que señaló a tres que por su velocidad y por su fuerza parecían destacarse de los demás; y a dos de éstos escogió como perreros. Fue a la cabaña de uno de ellos una vez terminados los juegos, a la hora de encenderse las luces; era ese un muchacho alto de miembros en extremo veloces; allí se encontraban el muchacho y su madre a la mesa y ambos se pusieron de pie cuando el padre abrió la puerta y Orión entró. Y Orión le preguntó animoso al muchacho si querría ir con los perros provisto de un látigo para impedir que ninguno se extraviara. Y se hizo silencio. Todos sabían que Orión cazaba bestias extrañas y llevaba a sus perros a lugares extraños. Nadie había ido allí nunca más allá de los campos que conocemos. El muchacho tenía miedo de dejarlos atrás. Sus padres no tenían el menor deseo de dejarlo partir. Por fin excusas, palabras y argumentos interrumpidos quebraron el silencio, y Orión supo que el muchacho no iría con él.

Se dirigió a la casa del otro. También allí estaban las candelas encendidas y una mesa tendida. Dos ancianas y el muchacho estaban cenando. Y a ellos les dijo Orión que necesitaba un perrero y le pidió al muchacho que lo acompañara. El miedo en esa casa fue aún mayor. Las dos mujeres gritaron a la vez que el muchacho era demasiado joven, que ya no podía correr tan bien como solía hacerlo antes, que no era digno de semejante honor, que los perros jamás confiarían en él. Y mucho más dijeron, hasta que se volvieron incoherentes. Orión las dejó y fue a la casa del tercero. Todo fue igual allí. Los hombres habían deseado la magia para Erl, pero el contacto concreto con ella o aun sólo pensarla perturbaba a la gente en sus cabañas. Nadie permitía que sus hijos fueran no se sabía a dónde, para tener trato con cosas que el rumor, como una gran sombra siniestra, había magnificado en la aldea de Erl. De modo que Orión fue solo con sus perros cuando salió del valle y los llevó hacia el este por nuestros campos a donde la gente de la Tierra se resiste a ir.

Estaba avanzado el mes de marzo y Orión dormía en su torre cuando desde abajo le llegó, agudo y claro, temprano por la mañana, el grito de sus pavos reales. El balido de las ovejas llegó a despertarlo desde los bajos, y los gallos cantaban clamorosos, porque la primavera cantaba en el aire soleado. Se levantó y fue al encuentro de sus perros; y los campesinos madrugadores no tardaron en verlo ascender por la empinada cuesta del valle con sus perros detrás, manchas pardas sobre el verde. Y así pasó por los campos que conocemos. Y así llegó antes de ponerse el sol a esa franja de tierra de la que todos los hombres se apartaban, donde hacia el oeste se levantan las casas de los hombres en terrenos de rica arcilla parda y hacia el este brillan las Montañas Feéricas sobre la linde de crepúsculo.

Fue, en compañía de sus perros a lo largo del último seto. Y no bien llegó allí vio a un zorro salir furtivo del crepúsculo que separa la Tierra del País de los Elfos y correr unas pocas yardas a lo largo del borde de nuestros campos para volver luego a penetrar la linde. Y de esto Orión no pensó nada, porque es propio de los zorros frecuentar el filo del País de los Elfos y volver otra vez a nuestros campos: es por ello que nos trae algo de lo que ninguna de nuestras ciudades adivina. Pero el zorro no tardó en reaparecer desde el crepúsculo, corrió un cierto trecho y volvió una vez más a la barrera luminosa. Entonces Orión observó lo que hacía el zorro. Y una vez más apareció en los campos que conocemos y volvió a esconderse en el crepúsculo. Y también los perros observaron y no mostraron la menor ansiedad por perseguirlo porque habían probado sangre fabulosa.

Orión avanzó a lo largo del crepúsculo en la dirección en que iba el zorro, experimentando cada vez más curiosidad así que el animal entraba en nuestros campos para volver a salir de ellos. Los perros lo seguían lentamente y no tardaron en perder interés en lo que el zorro hacía. Y de pronto aquella rareza quedó explicada, porque de repente Lurulu atravesó de un salto el crepúsculo y el trasgo apareció en nuestros campos: con él era con el que el zorro jugaba.

—Un hombre —dijo Lurulu en alta voz a sí mismo o a su camarada el zorro hablando en la lengua de los trasgos. Y Orión recordó de golpe al trasgo que había entrado en su cuarto cuando niño con su pequeño hechizo contra el tiempo y que había saltado de estantería en estantería y a través del cielo raso enfureciendo a Ziroonderel, que temía por sus vasijas y platos de barro.

—¡El trasgo! —exclamó también en la lengua trasgos; porque su madre se la había inusitado al oído niño al contarle cuentos de trasgos y de sus antiquísimas canciones.

—¿Quién es este que conoce la lengua de los trasgos? —preguntó Lurulu.

Y Orión le dijo su nombre que nada significaba para Lurulu. Pero se puso en cuclillas y revolvió desordenadamente un instante lo que corresponde en los trasgos a nuestra memoria; y durante el registro de múltiples recuerdos triviales que habían burlado la acción destructora del tiempo en los campos que conocemos y la distraída apatía de las inalterables edades en el País de los Elfos, se topó de pronto con el recuerdo de Erl; y volvió a mirar a Orión y empezó a reflexionar. Y en ese mismo momento Orión le dijo al trasgo el augusto nombre de su madre. Y de inmediato Lurulu hizo lo que se conoce entre los trasgos del País de los Elfos como la reverencia de los cinco puntos; es decir, se inclinó hasta el suelo apoyándose sobre ambas rodillas, las dos manos y la frente. Luego volvió a erguirse dando un salto en el aire; porque la veneración no le duraba mucho en el espíritu

—¿Qué haces en campos de los hombres? —preguntó Orión.

—Juego —dijo Lurulu.

—¿Qué haces en el País de los Elfos? —preguntó Orión.

—Observo el tiempo —dijo Lurulu.

—Eso no parece muy divertido —dijo Orión.

—Nunca lo has hecho —dijo Lurulu—. No es posible observar el tiempo en los campos de los hombres.

—¿Por qué no? —preguntó Orión.

—Va demasiado de prisa.

Orión pensó un rato en esto pero no llegó a nada en claro; pues al no haber abandonado nunca los campos que conocemos, sólo conocía un ritmo del tiempo y carecía de término de comparación.

—¿Cuántos años han transcurrido para ti —le preguntó el trasgo— desde que hablamos en Erl?

—¿Años? —inquirió Orión a su vez.

—¿Cien? —adivinó el trasgo.

—Casi doce —contestó Orión— ¿Y para ti?

—Es todavía hoy —dijo el trasgo.

Y Orión no quiso ya seguir hablando del tiempo, porque no le gustaba discutir un tema sobre el que parecía saber menos que un común trasgo.

—¿Quieres llevar un látigo —preguntó— y correr con mis perros cuando cazamos el unicornio en los campos que conocemos?

Lurulu examinó atentamente a los perros observando sus ojos castaños; los perros dirigieron sus hocicos dudosos hacia el trasgo y lo olfatearon inquisitivos.

—Son perros —dijo el trasgo, como si eso fuera algo que hubiera que reprocharles—. Sin embargo, tienen pensamientos placenteros.

—Pues entonces serás portador del látigo —dijo Orión.

—Mm, sí. Sí —dijo el trasgo.

De modo que Orión le dio su propio látigo en ese mismo momento y luego sopló su cuerno, se alejó del crepúsculo y le dijo a Lurulu que mantuviera unidos a los perros a sus espaldas. Y los perros se manifestaron intranquilos en presencia del trasgo y olfatearon una y otra vez, pero no pudieron decidir su humanidad y no les agradaba obedecer a un ser de su mismo tamaño. Se le acercaron corriendo de curiosidad, se apartaron de él con disgusto y se dispersaron desobedientes. Pero no era tan fácil eludir los ilimitados recursos de ese avispado trasgo: de pronto se irguió el látigo, que parecía tres veces mayor en su manecilla minúscula, y restalló en la punta del hocico de uno de los perros. El perro aulló y luego pareció asombrado; el resto se mostraba inquieto todavía; debieron de haber pensado que había sido un accidente. Pero una vez más restalló el látigo sobre el extremo de un hocico; y, los perros vieron entonces que no era el azar lo que guiaba punzantes latigazos, sino unos ojos mortalmente certeros. Y desde ese momento en adelante veneraron a Lurulu aunque no oliera a humano.

De modo que así volvieron Orión y su jauría tarde por la tarde, y nunca perro pastor alguno mantuvo en tierra frecuentada de lobos a su majada más segura y unida que Lurulu mantenía a la jauría: estaba a cualquiera de sus flancos o por detrás, según fuera donde hubiera señales de dispersión, y era capaz de saltar por encima de la entera jauría de un lado al otro. Y las azules Montañas Feéricas se perdieron de vista antes de que Orión se hubiera alejado cien pasos de la linde, porque los picos sin sombra quedaron ocultos por la oscuridad terrena que iba inundando los campos que conocemos.

A casa volvían y pronto apareció sobre ellos la errante multitud de estrellas que se ven desde nuestra Tierra. Lurulu de vez en cuándo alzaba la mirada para admirarlas como todos lo hemos hecho alguna vez en algún momento; pero casi sin pausa mantenía fija su atención sobre los perros, porque se encontraba ahora en campos terrenos y se concentraba en las cosas de la Tierra. Y ni una vez se demoró uno de los perros sin que el látigo de Lurulu lo tocara con su minúscula

explosión, quizás en el extremo de la cola, esparciendo un
fino polvo formado de fragmentos de pelo y de cuerda del
látigo; y el perro aullaba y corría a unirse con los demás, y
toda la jauría conocía así que uno más de esos latigazos certeros había encontrado su destino.

Una cierta gracia en el manejo del látigo, una cierta seguridad en el blanco advienen cuando una vida se ha consagrado a portar un látigo entre perros; advienen poco más o
menos, en unos veinte años. Y a veces se sucede en familias;
y eso es mejor que años de práctica. Pero ni años de práctica,
ni el hábito del látigo en la sangre pueden dar la certeza en la
puntería que puede dar una cosa; y esa cosa es la magia. El
vuelo del latigazo, tan inmediato como el súbito giro de una
mirada, su estallido en un sitio escogido tan directo como la
vista no eran de esta Tierra. Y aunque los restallidos de ese
látigo podrían haberle parecido a un hombre de paso sólo la
acción de un cazador terreno, no había perro que no supiera
que algo más había en esto, algo de más allá de nuestros
campos.

Ya el alba clareaba el cielo cuando Orión volvió a ver la
aldea de Erl, que hacía ascender pilares de humo desde fuegos
tempranos y descendió con sus perros y su nuevo perrero por
la ladera del valle. Ventanas madrugadoras le guiñaban
mientras avanzaba por la calle y llegó, en el silencio y en el frío
a las perreras vacías. Y cuando los perros yacían acurrucados
sobre la paja, encontró un sitio para Lurulu, un henil medio
desmoronado en el que había sacos y unos pocos montones de
heno; de un palomar que se encontraba cerca, habían venido
algunas palomas que moraban entre las vigas. Allí dejó Orión
a Lurulu y se fue a su torre, helado por falta de sueño y alimento; y cansado como no lo habría estado si hubiera en-

contrado un unicornio, pero el ruido producido por la char-
la del trasgo cuando lo encontró en la frontera, había hecho
inútil aguardar a esas cautelosas bestias esa noche. Orión
durmió. Pero el trasgo en el maltrecho henil se estuvo mucho
tiempo sentado en su montón de heno observando las modalidades del tiempo. Vio a través de hendijas abiertas en las
viejas persianas trasladarse las estrellas; las vio empalidecer; vio
esparcirse la otra luz; vio la maravilla del alba; sintió la penumbra del henil llenarse del arrullo de las palomas; observó
sus hábitos inquietos, oyó pájaros silvestres agitarse en los
olmos cercanos y los hombres afuera en la mañana, y los caballos, los carros y las vacas; vio cambiar todo a medida que
avanzaba la mañana. ¡Una tierra de cambio! El deterioro de las
tablas del henil, el musgo afuera en la argamasa y los viejos
maderos que se desmoronaban, todo parecía contar la misma
historia. Todo cambio y ninguna permanencia. Pensó en la
antiquísima calma que constituía la belleza, del País de los
Elfos. Y luego, en la tribu de los trasgos que había dejado
atrás, preguntándose qué opinarían sobre las modalidades de
la Tierra. Y las frenéticas carcajadas de Lurulu de pronto ate-
rrorizaron a las palomas.

Capítulo XXIII

LURULU OBSERVA
LA INQUIETUD DE LA TIERRA

Como el día avanzaba y todavía Orión seguía durmiendo
pesadamente, aun los perros yacían silenciosos en sus perreras
y las idas y venidas de los hombres y los carros abajo nada te-

nían que ver con el trasgo, Lurulu empezó a sentirse solo. Tan
densa es la presencia de trasgos pardos en los pequeños valles
donde habitan, que allí nadie se siente solo. Se quedan allí
sentados en silencio gozando la belleza del País de los Elfos o
sus propios atrevidos pensamientos; en los raros momentos en
que la profunda calma natural del País de los Elfos se agita, su
risa inunda los pequeños valles. No se sentían allí más solos
que se sienten solos los conejos. Pero en todos los campos de
la Tierra no había más que un trasgo; y el trasgo se sentía solo.
La puerta del palomar se abría a unos diez pies de la puerta del
henil, y estaba a unos seis pies más de altura, Una escalera
llevaba al henil sujetada al muro con hierro; pero nada había
que comunicara con el palomar por temor de que algún gato
pudiera llegar a él. De allí llegaba el murmullo de vida abundante que atraía al trasgo solitario. El salto de puerta a puerta
no era nada para él, y aterrizó en el palomar con su acostum-
brada actitud: una expresión de buen humorada bienvenida en
la cara. Pero las palomas se desbandaron en un estrépito de
aleteos por las ventanas y el trasgo siguió estando solo.

Le gustó el palomar no bien puso los ojos en él. Le gus-
taron los indicios de vida rebosante, el centenar de casillas
de pizarra y yeso, los millares de plumas y el olor a moho. Le
gustó la antigua paz del palomar somnoliento y las enormes
telarañas que ornaban los rincones, sosteniendo años y años
de polvo. No sabía qué fueran las telarañas, pues nunca las
había visto en el País de los Elfos, pero admiró la excelencia
de su artesanía.

La antigüedad del palomar que había llenado los rincones de telarañas, arrancando retazos de yeso de las paredes,
exhibiendo por debajo ladrillos rojos y expuesto al desnudo
los listones de madera del techo y aun las pizarras más allá, le

daban al onírico lugar un aire que no difería demasiado de la serenidad del País de los Elfos; pero por debajo de él y todo a su alrededor Lurulu notaba la inquietud de la Tierra. Aun la luz del sol filtrada por los pequeños respiraderos que brillaba sobre la pared, se movía.

En seguida le llegó el estrépito de las alas de las palomas que volvían y el choque de sus patas sobre el techo de pizarra encima de él, pero no volvieron a entrar todavía en su morada. Vio la sombra de este techo proyectada sobre otro techo más abajo y las inquietas sombras de las palomas a lo largo de borde. Observó el liquen gris que cubría la mayor parte del techo inferior y los nítidos retazos redondeados de nuevo liquen amarillo sobre la informe masa de gris. Oyó a un pato que llamaba lentamente seis o siete veces. Oyó, a un hombre que vino al establo de abajo y se llevó consigo a un caballo. Un perro se despertó y ladró. Algunos grajos, espantados por algún motivo de una torre, pasaron volando muy alto dando voces estruendosas. Vio grandes nubes pasar apresuradas por, sobre la cima de colinas distantes. Oyó a una paloma silvestre llamar desde un árbol vecino. Algunos hombres pasaron conversando. Y al cabo de un momento percibió con asombro lo que no había tenido tiempo de observar en su anterior visita a Erl que aun las sombras de las casas se movían; porque vio que la sombra del techo bajo el que estaba sentado se había trasladado un tanto sobre el techo de abajo, sobre el liquen gris y amarillo. ¡Movimiento perpetuo y perpetuo cambio! Lo comparó maravillado con la profunda calma de su patria, donde el momento se movía más lentamente que las sombras de las casas aquí, y no transcurría hasta que todo el contenido que colma un momento no había sido absorbido por cada criatura del País de los Elfos.

Y entonces, con zumbido y gimoteo de alas, empezaron a volver las palomas. Venían de lo más alto de los bastiones de la más alta torre de Erl, donde se habían refugiado por un tiempo sintiéndose protegidas por su gran altura y su edad venerable de esa nueva cosa extraña que temían. Volvieron y se posaron en los antepechos de las ventanitas y miraron con un ojo al trasgo. Algunas eran enteramente blancas, pero las grises tenían cuellos, del color del arco iris y apenas eran menos hermosas que los colores que hacían el esplendor del País de los Elfos; y Lurulu, mientras lo miraban con desconfianza sentado inmóvil en un rincón, ansiaba su exquisita compañía. Y cuando estas inquietas hijas de un aire y una tierra inquietos siguieron sin entrar, trató de serenarlas con la inquietud a que estaban acostumbradas y con la que, según él lo creía, todos los moradores de nuestros campos se regocijaban. Dio un brinco repentino; saltó a una casa de pizarra para palomas construida en lo alto de un muro; voló como una flecha hasta el próximo muro y de nuevo al suelo; pero hubo un estrépito de alas y las palomas desaparecieron. Y gradualmente fue aprendiendo que las palomas preferían la quietud.

El clamor de alas no tardó en volver al techo; sus patas resonaron sobre la pizarra otra vez; pero durante mucho tiempo no regresaron a sus casillas. Y el trasgo solitario miró por las ventanitas observando las modalidades de la Tierra. Vio posarse un aguzanieves acuático en el tejado de abajo; lo observó hasta que levantó vuelo. Y luego dos gorriones se acercaron a unos granos que alguien había dejado caer; también a ellos los observó. Cada una de esas criaturas era una especie enteramente nueva para el trasgo y no mostraba otro interés mientras examinaba cada uno de los movimientos de los gorriones que el que hubiéramos mostrado nosotros si nos topáramos con un ave enteramente desconocida. Cuando los gorriones se hubieron ido, el pato graznó otra vez, tan deliberadamente que transcurrieron otros diez minutos mientras Lurulu trataba de descifrar lo que pretendía, decir y, aunque desistió de hacerlo porque otras cosas atrajeron su atención, tuvo la seguridad de que era algo importante. Luego los grajos pasaron otra vez, pero sus voces sonaban frívolas y Lurulu no les concedió demasiada atención. A las palomas sobre el tejado, que no querían volver a casa, las escuchó mucho tiempo sin tratar de interpretar lo que decían pero satisfecho con la argumentación tal como las palomas la planteaban; sentía que contaban la historia de la vida y que todo estaba bien. Y sintió mientras escuchaba la conversación en voz baja de las palomas, que la Tierra debía de venir andando desde mucho tiempo atrás.

Más allá de los tejados se elevaban los árboles, despojados de hojas, salvo los siempre verdes robles y algunos laureles, pinos y tejos, y las hiedras que trepaban por los troncos, pero los capullos de la haya estaban prontos a reventar; y el sol resplandecía y fulguraba sobre los capullos y las hojas y la hiedra y el laurel brillaban. Sopló una brisa que arrastró el humo de alguna chimenea cercana. A lo lejos Lurulu vio un enorme muro de piedra que circundaba un jardín dormido al sol; y clara a la luz del sol, vio a una mariposa pasar volando y girar cuando llegó al jardín. Y luego vio pasar lentamente a dos pavos reales. Vio la sombra de los tejados que oscurecían la parte inferior de los árboles resplandecientes. Oyó a un gallo que cantaba en algún sitio y un perro volvió a dar voces. Y luego una súbita llovizna cayó sobre los tejados y en seguida las palomas quisieron volver a su casa. Se posaron nuevamente fuera de sus ventanitas y todas miraban de soslayo al trasgo; esta vez Lurulu se mantuvo muy quieto; y al cabo de un tiempo, aunque veían perfectamente que no era uno de su especie, decidieron que no pertenecía a la tribu de los gatos y volvieron por fin a la calle de sus minúsculas casillas y allí continuaron su curioso cuento sempiterno. Y Lurulu deseó retribuirles con curiosos cuentos de los trasgos, las atesoradas leyendas del País de los Elfos, pero comprobó que no le era posible hacerles entender la lengua de los trasgos. De modo que se quedó allí sentado escuchándolas hablar, hasta que le pareció que estaban tratando de arrullar la inquietud de la Tierra y pensó que quizá, mediante una somnolienta cantilena, estuvieran pronunciando un hechizo contra el tiempo para que no pudiera venir a dañar sus nidos; porque el poder del tiempo no le era claro todavía y no sabía que nada en nuestros campos tiene poder para oponérsele. Los nidos mismos de las palomas estaban construidos sobre las ruinas de otros viejos, sobre una sólida capa de cosas desmoronadas que el tiempo había hecho en aquel palomar, como afuera los estratos están hechos de las ruinas de las colinas. Una ruina tan vasta e incesante no le era clara todavía al trasgo, porque su aguda comprensión sólo tenía por objeto guiarlo a través del arrullo y la calma del País de los Elfos, y se ocupaba ahora de una consideración menor. Al ver que las palomas ahora parecían mostrarse amistosas, volvió de un salto al henil y regresó con un montón de heno que puso en un rincón para hacerse allí un sitio cómodo. Cuando las palomas vieron todos estos movimientos, volvieron a mirarlo de soslayo agitando sus cuellos con sospecha pero terminaron por aceptar al trasgo como huésped; y él se acurrucó sobre el heno y escuchó la historia de la Tierra, pues eso es lo que creía ser el cuento de las palomas aunque no conocía su lengua.

Pero el día avanzó y al trasgo le dio hambre, mucho más de prisa que nunca le diera en el País de los Elfos, donde aun cuando la sintiera no tenía más que estirar la mano y coger las bayas que colgaban muy bajo desde los árboles que crecían en el bosque que bordeaba los pequeños valles de los trasgos. Bajó de un salto del palomar y se fue corriendo en busca de bayas, pero no las había por parte alguna porque sólo hay una temporada para las bayas, como bien lo sabemos nosotros; esa es una de las jugarretas del tiempo. Pero que todas las bayas de la Tierra desaparecieran a la vez por un período era demasiado asombroso como para que el trasgo lo pudiera comprender. Se encontraba entre granjas y no tardó en ver a una rata que avanzaba precavida por un cobertizo oscuro. No sabía nada de la lengua de las ratas; pero es curioso que cuando dos individuos están en busca de lo mismo, cada cual sabe de algún modo en pos de qué está el otro, en seguida, tan pronto como lo ve. Todos somos parcialmente ciegos para las ocupaciones de los demás, pero cuando vemos a alguien empeñado en nuestro propio afán, de algún modo parecemos saberlo sin que nada tenga que ser explicado. Y en el momento en que Lurulu vio a la rata en el cobertizo, pareció saber que estaba en busca de alimento. De modo que siguió a la rata sin hacer ruido. Y no tardó la rata en llegar a un saco de avena; abrirlo no le exigió más tiempo que el que exige abrir una vaina de guisantes y pronto ya estaba hartándose de ella.

—¿Saben bien? —preguntó el trasgo en la lengua de los trasgos.

La rata lo miró con desconfianza observando su semejanza con el hombre y, por otra parte, que en nada se parecía a un perro. Pero en conjunto la rata no se sintió satisfecha y después de un buen examen, se dio la vuelta en silencio y abandonó el cobertizo. Entonces Lurulu comió la avena y comprobó que sabía bien.

Cuando hubo comido bastante avena, el trasgo volvió al palomar y se quedó allí sentado un buen rato a una de las ventanitas mirando por sobre los tejados las extrañas y novedosas modalidades del tiempo. Y la sombra sobre los árboles creció y desapareció el resplandor de los laureles y de las hojas inferiores. Y luego la luz de las hiedras y de las encinas se convirtió de plata en oro pálido. Y la sombra creció más todavía. Todo el mundo lleno de cambio.

Y un viejo con una larga barba delgada y entrecana se acercó lentamente a las perreras, abrió la puerta y entró a dar de comer a los perros la carne que trajo de un cobertizo. Toda la tarde resonó con el clamor de los perros. Y en seguida volvió a salir el viejo y su lenta partida le pareció, al trasgo que lo observaba, aun otro aspecto de la inquietud de la Tierra.

Y entonces llegó lentamente un hombre conduciendo un caballo al establo que estaba bajo el palomar; y volvió a salir y dejó al caballo comiendo. Sólo el extremo de los árboles y un alto campanario estaban iluminados todavía. Los capullos rojizos de las altas hayas fulguraban ahora como opacos rubíes. Y una gran serenidad se extendió por el cielo azul pálido y las pequeñas nubes que flotaban ociosas en él se tiñeron de un flameante anaranjado; los grajos volvían a sus nidos en algún árbol de los bajos. Era una pacífica escena. Y, sin embargo, al trasgo que observaba el mohoso palomar entre generaciones de plumas, el ruido de los grajos que cruzaban tumultuosos el cielo, el monótono sonido que hacía el caballo al comer, el de pasos tranquilos que volvían de vez en cuando a casa y el lento cerrarse de los portones, le parecían ser una prueba de que nunca nada descansaba en todos los campos que conocemos; y la dormida aldea ociosa que soñaba en el valle de Erl y que no sabía más de otras tierras que su gente sabía de su historia, le parecía a ese trasgo simple un vórtice de inquietud.

Y ahora el sol se había retirado de los lugares más altos y una luna de pocos días brillaba sobre el palomar fuera de la vista de la ventana por donde Lurulu miraba, pero inundando el aire con un nuevo tinte extraño. Y todos estos cambios lo desconcertaban, de modo que por un momento pensó en volver al País de los Elfos, pero lo asaltó de nuevo el capricho de asombrar a los demás trasgos; y mientras experimentaba todavía este capricho, se deslizó desde lo alto del palomar y fue al encuentro de Orión.

Capítulo XXIV

LURULU HABLA DE LA TIERRA Y DE LOS USOS DE LOS HOMBRES

El trasgo había encontrado a Orión en su castillo y, le había propuesto su plan. En suma, su plan consistía en tener más perreros para su jauría. Porque uno sólo no podía siempre evitar que alguno de los perros se perdiera al acercarse a la linde de crepúsculo, donde, a sólo unas yardas de distancia, había espacios de los que si alguna vez un perro regresaba, como lo hacen los perros perdidos al atardecer, volvería a casa completamente envejecido con sólo una hora de extravío.

Cada perro, dijo Lurulu, debía tener un trasgo que lo guiara, corriera junto con él al cazar y fuera su sirviente al volver, a casa hambriento y cubierto de lodo. Y Orión había advertido de inmediato la sin par ventaja de que cada perro fuera controlado por una inteligencia alerta, si bien minúscula, y le había dicho a Lurulu que fuera en busca de los trasgos. De modo que ahora, mientras los perros dormían sobre tablas en una perruna masa en cada una de las perreras, porque los perros y las perras, habitaban en moradas separadas entre sí, el trasgo se apresuraba por los campos que conocemos a través del crepúsculo estremecido a la vera de la luz de la luna, con la cara vuelta hacia el País de los Elfos.

Pasó junto a una pequeña granja con una ventanita que lo miraba y brillaba amarilla desde una pared azul pálido con un matiz recibido de la luna. Dos perros lo ladraron y se echaron a correr tras él; cualquier otro día este trasgo les habría hecho alguna jugarreta, y se habría burlado de ellos, pero en ese momento su mente estaba colmada hasta el tope por la misión que tenía por delante y no les prestó más atención que la que les habría prestado un vilano en un día ventoso de setiembre, y siguió saltando sobre el extremo de las hierbas hasta que los perros quedaron muy atrás y jadeantes.

Y mucho antes de que las estrellas hubieran empalidecido por el roce del alba, llegó a la barrera que divide nuestros campos de la patria de las criaturas que se le asemejaban y, saltando de la noche terrena, alto por sobre la barrera de crepúsculo, aterrizó sobre las cuatro extremidades en su suelo natal, en el día antiquísimo del País de los Elfos. A través de la maravillosa belleza de ese aire denso que supera la de nuestros lagos al amanecer y hace empalidecer todos nuestros colores, se apresuró lleno de las noticias con las que asombraría a su parentela. Llegó a los valles de los trasgos donde habitan en sus extrañas habitaciones y emitió los chillidos al avanzar con que los trasgos convocan a su gente; y llegó al bosque donde los trasgos hicieron viviendas en los troncos de árboles enormes; porque hay trasgos de los bosques y trasgos de los valles, dos tribus emparentadas que mantienen relaciones amistosas; y allí emitió una vez más los chillidos de la convocatoria de los trasgos. Y pronto hubo un crujido de flores en toda la profundidad del bosque, como si los cuatro vientos soplaran, y el crujido creció y creció, y aparecieron los trasgos y fueron sentándose de a uno cerca de Lurulu. Y aún el crujido seguía creciendo, perturbando todo el bosque, y llegaban a raudales los trasgos pardos y se sentaban en torno a Lurulu. De muchos troncos y huecos espesados con helechos iban llegando sin pausa; y de los altos gomaks distantes en los valles, para llamar como se llaman en el País de los Elfos esas extrañas habitaciones para las que no hay nombre terreno, extrañas tiendas grises de tela drapeada sobre una estaca. Se reunieron alrededor de él en la luz penumbrosa pero colorida que flota entre las frondas de esos mágicos árboles, cuyos troncos se elevan más alto que nuestros pinos más venerables y resplandecen sobre espitas de cactus con las que nuestro mundo apenas sueña. Y cuando la parda masa de trasgos estuvo allí reunida, al punto que el suelo del bosque daba la impresión de que el otoño hubiera llegado al País de los Elfos por haber extraviado el camino de los campos que conocemos, y cuando todos los crujidos estuvieron terminados y el silencio vuelto, denso como lo había sido desde siempre, Lurulu les habló y les contó cuentos del tiempo.

Nunca antes cuentos tales se habían oído en el País de los Elfos. Los trasgos habían aparecido antes en los campos que conocemos y habían vuelto intrigados; pero Lurulu, entre las casas de Erl, había estado en medio de los hombres; y el tiempo, como se los dijo a los trasgos, se movía en la aldea con una velocidad más fantástica todavía que en la hierba de los campos de la Tierra. Les contó cómo se movía la luz, les contó de las sombras, les contó cómo el aire era blanco, brillante y pálido; les contó cómo por un instante la Tierra empezaba a parecerse al País de los Elfos, con una luz más íntima y colores incipientes, y entonces, al empezar uno a pensar en la patria, la luz se desvanecía y los colores desaparecían. Les contó de las estrellas. Les contó de las vacas, las cabras y la luna, tres criaturas cornudas que le habían parecido curiosas. Había encontrado más maravillas en la Tierra que las que nosotros recordamos, aunque también nosotros vimos estas cosas por primera vez; y con el asombro que le producían las modalidades de los campos que conocemos, compuso muchos cuentos que tuvieron atrapados a los inquisitivos trasgos y los mantuvo silenciosos sobre el suelo del bosque como si fueran en verdad hojas pardas caídas en octubre, que una helada de repente hubiera endurecido. Oyeron de chimeneas y carros por primera vez; con un estremecimiento escucharon de los molinos de viento. Escucharon sobrecogidos los usos de los hombres; y, de vez en cuando, como cuando le habló de los sombreros, una ola de carcajadas estremecía el bosque.

Luego les dijo que deberían ver los sombreros, las palas y las perreras, mirar por las ventanas y conocer los molinos de viento; y la curiosidad cundió en el bosque en la parda masa de trasgos, porque su raza es profundamente inquisitiva. Y Lurulu no se detuvo allí, no contó con la sola curiosidad para llevarlos del País de los Elfos a los campos que conocemos, sino que los atrajo también con otra emoción. Porque les habló de los altivos, los reservados, los resplandecientes unicornios que no se paran más para hablar con los trasgos, que el ganado cuando bebe en los estanques se detiene para hablar con las ranas. Ellos conocían su morada, debían vigilar sus movimientos y contar estas cosas al hombre; el resultado de ello sería que podrían cazar, a los unicornios sin otra ayuda que la de los perros. Ahora bien, por escaso que fuera, el conocimiento que tenían de los perros, el temor que despiertan entre todas las criaturas que corren —como lo he dicho— es universal; y rieron tempestuosamente al pensar que los unicornios pudieran ser cazados con la ayuda de los perros. Así, pues, Lurulu recurrió al despecho y a la curiosidad para atraerlos a la Tierra; y supo que lo estaba logrando; y rió calladamente para sí hasta que se sintió abrigado por dentro. Porque entre los trasgos tiene gran reputación el que logra asombrar a los demás, o aun mostrarles una cosa caprichosa o hacerles una jugarreta o desconcertarlos con humor. Lurulu, tenía para mostrar la Tierra, cuyos usos son considerados, por los que son capaces de juzgar, tan extraños y caprichosos como podría desearlo un observador curioso.

Entonces se puso de pie y habló un trasgo encanecido; uno que había cruzado con exceso la linde de crepúsculo para observar los usos de los hombres; y como los observó demasiado tiempo, el tiempo lo había encanecido.

—¿Abandonaremos —dijo— los bosques que todos conocen y las modalidades placenteras del País para ver algo nuevo y ser barridos por el tiempo? —Y cundió un murmullo entre los trasgos que resonó por el bosque para desvanecerse en la distancia, como en la tierra el sonido de los escarabajos que vuelven a casa—. ¿No es ahora hoy? —prosiguió—. Pero lo que allí llaman hoy nadie sabe lo que es; uno cruza nuevamente la frontera para verlo y ha desaparecido. El tiempo es incontenible allí, como los perros que se extravían en nuestra linde, ululantes asustados, furiosos y frenéticos por volver a casa.

—Es así —dijeron los trasgos, aunque no lo sabían; pero era ese un trasgo cuyas palabras tenían mucho peso en el bosque.

—Conservemos el hoy —dijo el conceptuoso trasgo— mientras lo tengamos y no nos aventuremos allí donde el hoy se pierde con exceso de facilidad. Porque cada vez que los hombres lo pierden, el cabello se les pone más blanco, sus miembros se vuelven más débiles y sus caras más tristes, y cada vez se encuentran más cerca de mañana.

Tan gravemente habló cuando pronunció la palabra «mañana», que los trasgos pardos sintieron miedo.

—¿Qué les sucede mañana? —preguntó uno de ellos.

—Mueren —dijo el trasgo encanecido—. Los demás cavan la tierra y los meten dentro, como yo lo he visto; luego van al Cielo, según he oído decir.

Y un estremecimiento conmovió a los trasgos sobre el suelo hasta los extremos del bosque. Y Lurulu, que se estaba allí sentado y enfadado mientras escuchaba al conceptuoso trasgo mientras hablaba mal de la Tierra a donde él habría querido llevarlos, para asombrarlos con su rareza, le habló en defensa del Cielo.

—El Cielo es un buen lugar —espetó picado, aunque era muy poco lo que había oído de él.

—Todos los benditos están allí —replicó el trasgo— y está lle-no de ángeles. ¿Qué oportunidad tendría allí un trasgo? Los ángeles lo atraparían, porque dicen en la Tierra que todos los ángeles tienen alas; lo atraparían y lo besarían sonoramente por siempre jamás.

Y todos los trasgos pardos del bosque se echaron a llorar.

—No se nos atrapa tan fácilmente —dijo Lurulu.

—Tienen, alas —dijo el trasgo encanecido.

Y todos se sintieron apenados y sacudieron la cabeza, porque conocían la velocidad de las alas.

Los pájaros del País de los Elfos casi no hacían otra cosa que elevarse en el aire denso y contemplar por siempre esa fabulosa belleza que para ellos era alimento y hogar y de la que a veces cantaban; pero los trasgos que jugaban junto a la linde, al atisbar los campos que conocemos, habían visto a los pájaros terrenos lanzarse y girar, maravillándose ante ellos como nosotros nos maravillamos ante las cosas celestiales, y sabían que si se perseguía con alas a un trasgo, pocas esperanzas de escapar tendría éste.

—¡Ay de nosotros! —dijeron los trasgos.

El trasgo encanecido ya no dijo más, ni le era necesario tampoco, porque el bosque se había colmado de tristeza mientras estaban allí sentados pensando en el Cielo, con temor de ir a parar allí si se atrevían a vivir en la Tierra.

Y Lurulu no siguió discutiendo. No era hora de discutir, porque los trasgos estaban tristes con razón. De modo que les habló gravemente de cosas solemnes con palabras eruditas y asumiendo una actitud reverente. Pues bien, nada divierte tanto a los trasgos como la erudición y la solemnidad, y son capaces de reír durante horas ante una actitud solemne o cualquier apariencia de solemnidad. De modo que volvió a atraerlos a la ligereza que es su temple natural. Y cuando lo hubo logrado, volvió a hablarles de la Tierra y les contó caprichosas historias acerca de los usos de los hombres.

No quiero escribir sobre las cosas que Lurulu dijo del hombre por temor de herir la autoestima de mi lector y de ese modo ofender a quien sólo quiero distraer; pero todo el bosque se estremeció y se sacudió de risa. Y el trasgo encanecido no pudo decir ya nada para contrarrestar la curiosidad, que estaba ganando a toda esa multitud, de ver a los que vivían en casas y llevaban sombrero inmediatamente encima y una chimenea algo más alto; que les hablaban a los perros y no a los cerdos, y cuya gravedad era más graciosa que nada que pudieran hacer los trasgos. Y todos esos trasgos experimentaron de pronto el antojo de ir a la Tierra para ver cerdos, carros y molinos de viento, y también para reírse de los hombres. Y a Lurulu, que le había dicho a Orión que le llevaría una veintena de trasgos, le fue difícil impedir que la entera masa parda fuera con él, tan velozmente cambia el ánimo y el capricho de los trasgos; si les hubiera permitido salir con la suya, no habrían quedado trasgos en el País de los Elfos, porque aun el trasgo encanecido había cambiado de opinión junto con el resto. Escogió a cincuenta y los condujo hacia la peligrosa frontera de la Tierra; y se alejaron presurosos de la penumbra del bosque como un remolino de pardas hojas de roble se apresura en los peores días de noviembre.

Capítulo XXV

LIRAZEL RECUERDA LOS CAMPOS QUE CONOCEMOS

Cuando los trasgos se precipitaron hacia la Tierra para reír de los usos de los hombres, Lirazel se agitó mientras se estaba sentada en las rodillas de su padre, quien, grave y sereno en su trono de niebla y hielo, apenas se había movido durante doce de nuestros años terrenos. Ella suspiró y el suspiro rizó las dunas del sueño y perturbó ligeramente el País de los Elfos. Y los amaneceres, las puestas de sol, el crepúsculo y el pálido fulgor celeste que se mezcla por siempre para convertirse en la luz del País de los Elfos, sintieron un ligero roce de pena y toda su radiación vaciló. Porque la magia que atrapaba a estas luces y los hechizos que las mantenían unidas para iluminar por siempre el país que no debe tributo al Tiempo, no eran tan vigorosas como el dolor que surge oscuro del temple real de una princesa de linaje feérico. Suspiró porque a través de su profunda complacencia y la calina del País de los Elfos había flotado un pensamiento centrado en la Tierra; de modo que en lo más íntimo de los esplendores del País de los Elfos, de los cuales apenas se puede hablar en un canto, evocó una sencilla vellorita y muchas otras plantas triviales de los campos que conocemos. E imaginó que veía andar por esos campos a Orión, al otro lado de la linde de crepúsculo, alejado de ella por no sabía cuántos años desvastadores. Y las mágicas glorias del País de los Elfos, su belleza que está más allá del alcance de nuestros sueños, la profunda calma en que duermen las edades inmunes al tiempo, el arte de su padre que impedía marchitarse al menor de los lirios y los hechizos que volvían ciertos los sueños y los anhelos, no pudieron ya impedir que su imaginación errara ni mantenerla complacida. De modo que su suspiro voló sobre la tierra mágica y perturbó a las flores.

Y su padre sintió el dolor de ella, supo que perturbaba a las flores y que agitaba la calma del País de los Elfos, aunque no más que un pajarillo agitaría un cortinado real al aletear

contra sus pliegues mientras errara perdido una noche de
verano. Y aunque supo también que era por la Tierra que
padecía, prefiriendo algún uso mundano a las máximas glorias del País de los Elfos mientras estaba sentada con él en el
trono del que sólo un canto puede hablar, no otra cosa movió
aquello en su corazón que la compasión; como podríamos
sentir piedad por un niño que en un templo para nosotros
sagrado suspirara por algo trivial. Cuanto más esa Tierra le
parecía indigna de penar por ella, tan pronto da como llegada, indefensa presa del tiempo, una apariencia evanescente
divisada desde las costas del País de los Elfos, demasiado breve
como para el más serio cuidado de una mente centrada en la
magia, tanto más se apiadaba de su hija por el capricho errante que, llegado aquí irreflexivo, la había enredado —¡ay!—
con las cosas que perecen. Pues, bien ¡se sentía desdichada!
No sintió cólera contra la Tierra que le había arrebatado el
tino; no estaba ella complacida con los máximos esplendores
del País de los Elfos, sino que suspiraba por algo diferente: el
arte tremendo con que él contaba se lo daría. De modo que
levantó el brazo derecho de aquello sobre lo que descansaba,
una parte de su trono místico hecho de música y espejismos;
levantó el brazo derecho y el silencio cundió en el País de los
Elfos.

Las grandes hojas cesaron su murmullo a través de las
verdes profundidades del bosque; silenciosos como el mármol
tallado se volvieron los pájaros y los monstruos, y los trasgos
pardos que se precipitaban hacia la Tierra, hicieron alto acallados de pronto. Entonces del silencio surgieron murmullos
nostálgicos, tenues sonidos de anhelo por cosas que ningún
canto puede nombrar, sonidos como las voces de las lágrimas
si cada grano de sal cobrara vida y se le diera voz para contar

los modos del dolor. Luego todos estos pequeños rumores se unieron bailando gravemente al son de una melodía que el amo del País de los Elfos evocó con su mano mágica. Y la melodía hablaba del amanecer que llegaba sobre infinitos marjales, muy lejos, en la Tierra o en algún planeta que el País de los Elfos no conocía; surgiendo lentamente desde la profunda oscuridad, la luz de las estrellas y el frío crudo; impotente, frío y sin ánimo, apenas superando a las estrellas; oscurecido por las sombras del trueno y detestado por todas las cosas oscuras; resistente, creciendo y resplandeciendo; hasta que a través de la lobreguez de los marjales y del frío del aire, en un glorioso momento llegó todo el esplendor del color, y el amanecer avanzó triunfante, las más negras nubes se tiñeron lentamente de rosa y cabalgaron sobre un mar de lila y las rocas más oscuras que habían montado guardia a la noche brillaron con fulgor dorado. Y cuando su melodía ya no pudo decir más de esta maravilla por siempre extraña a los dominios feéricos, el rey movió la mano que sostenía en lo alto, como quien hace señales a un pájaro y ordenó que un amanecer llegara al País de los Elfos, venido de alguno de los planetas que están más cerca del sol. Y reciente y fresco aunque venía desde más allá de los límites de la geografía, desde una era hace mucho perdida, desde más allá de la comprensión de la historia, un amanecer resplandeció sobre el País de los Elfos, que nunca antes había conocido amanecer. Y las gotas de rocío del País de los Elfos colgadas de las hojas curvadas de la hierba, sumaron a ese amanecer sus minúsculas esferas, y en ellas retuvieron brillante y maravillosa, la gloria de los cielos como el nuestro, el primero que hubieran nunca visto.

Y el amanecer creció extraña y lentamente sobre esas tierras infrecuentadas, vertiendo sobre ellas los colores que día

tras día nuestros narcisos y día tras día nuestras rosas silvestres, durante todas las semanas de su estación, beben con
voluptuosa profusión en medio de un alboroto enteramente
silencioso. Y una luz nueva en el bosque apareció sobre las
grandes hojas extrañas, y sombras desconocidas por el País de
los Elfos se deslizaron de los troncos monstruosos de los árboles y avanzaron sobre hierbas que no habían soñado siquiera su advenimiento; y las agujas de ese palacio, al percibir tal
maravilla, aunque menor que la propia, supieron no obstante
que el forastero era mágico, y emitieron en respuesta un
resplandor desde sus ventanas sagradas, que fulguró sobre los
valles feéricos como una inspiración, y mezclaron un rubor
rosa con el azul de las Montañas Feéricas. Y los guardias sobre los maravillosos picos que vigilaban desde sus peñascos
por siempre para que ningún forastero de la Tierra o las estrellas viniera al País de los Elfos, levantaron sus cuernos y
soplaron la nota que advertía contra un extraño. Y los guardianes de los valles salvajes levantaron cuernos de toros fabulosos y soplaron la nota otra vez en la oscuridad de sus espantosos precipicios, y el eco la arrastró desde las monstruosas
caras de mármol de las rocas que repitieron la nota para todos
sus bárbaros camaradas; de modo que en el País de los Elfos
resonó la advertencia de que algo extraño perturbaba sus
costas.

Y a la tierra así expectante, así precavida, con mágicos
sables exaltados en peñascos solitarios, convocados desde sus
vainas ennegrecidas por esos cuernos para repeler a un enemigo, llegó amplio y dorado el amanecer la antiquísima maravilla que nosotros conocemos. Y el palacio con todas sus
maravillas, con todos sus encantos y hechizos emitió desde
su esplendor azul como el hielo, una gloriosa bienvenida o

espléndida rivalidad, añadiendo al País de los Elfos un fulgor del que sólo puede hablarse en un canto.

Fue entonces cuando el rey feérico movió otra vez su mano sostenida en lo alto junto a las agujas de cristal de su corona y abrió un camino a través de los muros de su palacio mágico y le mostró a Lirazel las leguas inmensurables de su reino. Y ella vio por arte de magia, en tanto los dedos de él sostuvieran el hechizo, los bosques verde oscuro y los valles del País de los Elfos, las solemnes montañas azules y los valles vigilados por seres extraños, todas las criaturas de la fábula escondidas en la oscuridad de las hojas enormes y los trasgos alborotados que se precipitaban hacia la Tierra; vio a los guardias llevarse los cuernos a los labios mientras resplandecía una luz en ellos que era el más orgulloso triunfo del arte oculto de su padre, la luz de un amanecer traído por sobre espacios inconcebibles para apaciguar a su hija, consolarla de sus caprichos y hacer volver sus pensamientos desde la Tierra. Vio los prados en que el Tiempo se había reposado durante siglos sin marchitar un capullo de todo el confín de las flores; y la nueva luz llegada a los prados que ella amaba a través del denso color del País de los Elfos, les daba una belleza que nunca habían conocido antes hasta que el amanecer no hubiera emprendido este viaje ilimitado al encuentro del crepúsculo encantado; y en todo momento mientras tanto, brillaban, fulguraban y resplandecían las agujas del palacio del que sólo puede hablarse en un canto. De toda esa deslumbrante belleza apartó el rey su mirada para ver en la cara de su hija el asombro de bienvenida a las glorias de su patria al regresar sus pensamientos de los campos del deterioro y la muerte a donde —¡ay!— habían partido. Y aunque sus ojos se volvían hacia las Montañas Feéricas, cuyo misterio y su azul combinaban de modo tan extraño, no obstante, al mirar el Rey de los Elfos esos ojos, sólo para los cuales había traído el amanecer desde tan lejos de sus caminos naturales, vio en sus mágicas profundidades un pensamiento dirigido a la Tierra. Un pensamiento dirigido a la Tierra a pesar de que había levantado el brazo y trazado el signo mágico con todo su poder para llevar al País de los Elfos una maravilla que la alegrara de estar en su patria. Y todos sus dominios se habían exaltado con esto, los guardianes en peñascos espantosos habían soplado una nota extraña, y monstruos, insectos y pájaros se habían regocijado con una nueva alegría, y allí, en el centro del País de los Elfos su hija pensaba en la Tierra.

Si le hubiera mostrado cualquier otra maravilla que no el amanecer, podría haber atraído sus pensamientos, pero al llevar esta exótica belleza al País de los Elfos para que se mezclara con otras antiguas maravilla, despertó en ella recuerdos de la mañana en los campos que él no conocía; y Lirazel, en su imaginación, jugaba una vez más en los campos con Orión donde crecían las flores terrenas privadas de encantamiento entre las hierbas inglesas.

—¿No es bastante? —preguntó con su extraña y mágica voz profunda, y señaló las vastas tierras con dedos que convocaban maravillas.

Ella suspiró: no era bastante.

Y el rey encantado se llenó de pesadumbre: sólo tenía a su hija y ella suspiraba, por la Tierra. Había habido una vez una reina que había reinado junto con él en el País de los Elfos; pero había sido mortal y, como mortal, murió. Porque a menudo volvía a las colinas de la Tierra para ver otra vez la primavera o para ver los bosques de hayas en otoño; aunque sólo se quedaba allí un día, cuando volvía de los campos que conocemos y estaba de regreso en el palacio de más allá del crepúsculo antes de que, nuestro sol se pusiera, el Tiempo la sorprendía en cada una de sus visitas; de modo que fue marchitándose y no tardó en morir en el País de los Elfos; porque sólo era mortal y elfos asombrados la sepultaron como se sepulta a las hijas de los hombres. Y ahora el rey estaba solo con su hija, y ella acababa de suspirar por la Tierra. La pesadumbre lo embargaba, pero de la oscuridad de esa pesadumbre, como a menudo sucede con los hombres, surgía y se levantaba cantando de su mente luctuosa una inspiración en que resplandecían la risa y la alegría. Se puso entonces en pie, levantó ambos brazos y su inspiración irrumpió sobre el País de los Elfos en forma de música. Y con la marejada de esa música hubo, como la fuerza del mar, un impulso de levantarse y bailar que nadie pudo resistir en el País de los Elfos. Gravemente agitaba los brazos y la música emanaba de ellos; y todo lo que andaba a por el bosque, lo que se arrastraba por las hojas, lo que saltaba por las alturas peñascosas o se alimentaba en los campos de lirios, toda clase de criaturas en toda clase de sitios, sí, hasta los centinelas que guardaban su presencia, los solitarios guardianes de la montaña y los trasgos que se precipitaban hacia la Tierra, todos bailaban al compás de una melodía que estaba hecha del espíritu de la primavera llegada en una mañana terrena en medio de un feliz rebaño de cabras.

Y ya entonces los trasgos estaban muy cerca de la frontera con la boca dispuesta para reír de los usos de los hombres; se apresuraban con toda la ansiedad de las pequeñas cosas vanas por atravesar la linde que separa el País de los Elfos de la Tierra; ya no seguían avanzando, sino sólo se deslizaban en círculos e intrincadas espirales bailando un baile como el que bailan los mosquitos las tardes de verano en los campos que conocemos. Y graves monstruos de fábula en la profundidad del bosque poblado de helechos bailaban minuets que las brujas habían compuesto con sus caprichos y su risa hacía ya mucho, en tiempos de su juventud, antes de que las ciudades aparecieran en el mundo. Y los árboles del bosque levantaron con trabajo lentas raíces del suelo, se mecieron con rudeza y bailaron luego sobre garras monstruosas, y los insectos bailaron sobre enormes hojas agitadas. Y en la profundidad de profundas cavernas, extrañas criaturas en encierro encantado se despertaron de su antiquísimo sueño y bailaron en la humedad.

Y junto al rey brujo, meciéndose al ritmo que había hecho bailar a todas las criaturas mágicas, estaba la Princesa Lirazel con un ligero resplandor en la cara que venía de una sonrisa oculta; porque en secreto sonreía siempre por el poder de su gran belleza. Y de pronto el Rey de los Elfos alzó más todavía una de sus manos; la mantuvo en lo alto y aquietó a todo lo que bailaba en el País de los Elfos; y redujo a reverente temor a todas las criaturas mágicas y envió sobre el País de los Elfos una melodía compuesta por notas atrapadas de las inspiraciones errantes que cantan y vagan a través del límpido azul de más allá de nuestras costas terrenas; y toda la tierra se sumergió profundamente en la magia de esa música extraña. Y las criaturas silvestres que la Tierra ha imaginado y las criaturas ocultas aun a la leyenda se sintieron movidas a cantar antiquísimas canciones que su memoria había olvidado. Y las fabulosas criaturas del aire se sintieron atraídas hacia abajo desde grandes alturas. Y emociones desconocidas e inconcebidas perturbaron la calma del País de los Elfos. La marea, de la música bañaba con olas maravillosas las laderas de las graves Montañas Feéricas hasta que sus precipicios emitieron extraños ecos como los de los bronces. En la Tierra no se oía música ni eco alguno: ni una nota atravesaba la delgada barrera de crepúsculo, ni un sonido, ni un murmullo. A otro sitio ascendían esas notas, pasaban como raras mariposas nocturnas por todos los campos del Cielo y sonaban como recuerdos sin acceso de las almas de los benditos; y los ángeles oyeron esa música, pero les estaba prohibido envidiarla. Y aunque no llegaba a la Tierra y aunque nunca nuestros campos escucharon la música del País de los Elfos, hubo entonces, como los hubo siempre, por temor de que la desesperación se apoderara de los pueblos de la Tierra, los que componían canciones para las necesidades, de nuestro dolor y nuestra risa; y ni aun ellos oyeron nunca una nota del País de los Elfos a través de la linde de crepúsculo, que mata su sonido, pero sentían en su mente la danza de esas notas mágicas, las escribían y los instrumentos terrenos las tocaban; entonces, y nunca hasta entonces, escuchamos nosotros la música del País de los Elfos.

Por un momento el Rey de los Elfos mantuvo a todos los que le debían lealtad, y a todos sus deseos, asombrosos temores y sueños, sometidos a flotantes y ensoñadoras ondas de música que no estaba hecha de sonidos de la Tierra, sino más bien de esa sustancia sutil en la que nadan los planetas y de otras muchas cosas maravillosas que sólo la magia conoce. Y entonces, mientras todo el País de los Elfos bebía la música como la Tierra bebe la lluvia dulce, se volvió otra vez hacia su hija con una mirada en sus ojos que decía:

—¿Qué tierra es tan bella como la nuestra?

Y ella se volvió para decirle:

—Esta es mi patria para siempre.

Se separaron sus labios para decirlo y el amor resplandecía en el azul de sus ojos feéricos; tendía ya las manos hacia su padre; cuando oyeron el sonido del cuerno de un cazador cansado que agotado soplaba junto al filo de la Tierra.

Capítulo XXVI

EL CUERNO DE ALVERIC

Hacia el norte durante años fatigosos erró Alveric y los girones agitados por el viento de su desolada tienda gris añadían lobreguez al frío de las tardes. Y la gente de las granjas solitarias al empezar a encender las luces de sus casas y los almiares a ennegrecerse contra el verde pálido del cielo, oían a veces el golpe de los mazos de Niv y Zend que se destacaba claro del silencio de esa tierra que nadie más recorría. Y sus hijos, que espiaban por la ventana para ver si había salido alguna estrella, veían quizá la extraña forma gris de la tienda cuyos girones se sacudían por sobre los últimos setos, donde un instante antes no había habido sino el gris del atardecer. A la mañana siguiente habría suposiciones y conjeturas, la alegría y el temor de los niños, los cuentos que sus mayores les contaban, exploraciones furtivas hasta el filo de los campos de los hombres, tímidos atisbos a través de oscuros huecos verdes abiertos en el último seto (aunque mirar hacia el este estuviera prohibido) y rumores y expectativas; todas esas cosas se mezclaban con la maravilla que llegaba del este y así se convertía en leyenda que sobrevivía muchos años a esa mañana; pero Alveric y su tienda habían ya desaparecido.

Así día tras día, estación tras estación, seguía adelante ese grupo, el solitario hombre sin mujer, el joven herido de la luna y el loco, y esa vieja tienda gris con su larga pértiga retorcida. Y todas las estrellas les fueron conocidas, los cuatro vientos familiares, y la lluvia, la niebla y el granizo, pero a la luz de las ventanas amarillas, cálidas y bienvenidas a la noche, sólo sabían decirle adiós; con la luz más temprana de los primeros fríos del amanecer, Alveric, despertaba de sueños inquietos, Niv se despertaba gritando, y partían de nuevo en su loca cruzada antes de que signo alguno de vida apareciera en los tranquilos tejados oscuros. Y cada mañana Niv profetizaba que sin duda encontrarían el País de los Elfos; y los días pasaban y los años.

Thyl hacía ya mucho que los había dejado; Thyl, que les profetizaba la victoria con ardientes canciones, cuya inspiración animaba a Alveric en las noches más frías y lo conducía por las más rocosas sendas, súbitamente una noche cantó canciones acerca de los cabellos de una joven, Thyl, que debió haberlos conducido en su búsqueda. Y entonces, un buen día, un mirlo cantó al atardecer, la primavera estaba en flor por millas a la redonda y él se dirigió a las casas de los hombres, se casó con la joven y no formó ya parte del grupo de peregrinos.

Los caballos habían muerto; Niv y Zend cargaban todo lo que tenían con ayuda de la estaca. Muchos años habían transcurrido. Una mañana de otoño Alveric abandonó el campamento para ir a las casas de los hombres. Niv y Zend se miraron. ¿Por qué habría Alveric de preguntar el camino a otros? Porque de algún modo u otro, sus mentes insanas conocían mejor sus propósitos que las intuiciones cuerdas. ¿No tenía por guías acaso las profecías de Niv y las cosas que le había jurado a Zend la luna llena?

Llegó Alveric a las casas, de los hombres y pocos de los que consultó quisieron hablar de las cosas que quedan al este; y si hablaba de las tierras por donde había errado durante años, le hacían tan poco caso como si les hubiera dicho que había levantado la tienda sobre las capas coloridas del aire que resplandece, se muda y oscurece en la parte inferior del cielo al ponerse el sol. Y los pocos que le contestaron le decían una cosa tan sólo: que nada más que los magos sabían.

Cuando Alveric se hubo enterado de esto, volvió de los campos y los setos a la vieja tienda gris alzada en las tierras en las que nadie pensaba; y Niv y Zend estaban allí sentados en silencio mirándolo de soslayo, porque sabían que desconfiaba de la locura y de las cosas dichas por la luna. Y al día siguiente cuando trasladaron el campamento al frío del alba, Niv condujo sus pasos sin dar voces.

No habían avanzado muchas semanas más empeñados en ese curioso viaje, cuando Alveric encontró una mañana en el filo de los campos que los hombres labran, a un hombre que llenaba un cubo en un pozo; su delgado y alto sombrero cónico y el aire místico que lo envolvía, proclamaban que sin duda se trataba de un mago.

—Maestro en las artes que los hombres temen —le dijo Alveric—. Tengo una pregunta que formular al futuro.

Y el mago dejó su cubo para mirar a Alveric con ojos dubitativos, porque la andrajosa figura del viajero escasamente prometía la recompensa con que suelen retribuir los que con justicia interrogan al futuro. Y el mago nombró en qué consistía la recompensa. Y la bolsa de Alveric contenía, lo que desvaneció las dudas del mago. De modo que señaló a lo alto de su torre, que asomaba por sobre un bosquecillo de mirtos, y le rogó a Alveric que se llegara hasta su puerta al salir la estrella de la tarde; a esa hora propicia le revelaría lo que el futuro le tenía deparado.

Y otra vez Niv y Zend comprobaron que su conductor seguía sueños y misterios que no venían de la locura ni de la luna. Y los dejó allí sentados sin decir nada, pero con la mente llena de visiones sombrías.

A través del aire pálido, a la espera de la estrella de tarde, Alveric anduvo por los campos que los hombres labran y llegó a la oscura puerta de roble de la torre del mago que los mirtos rozaban a la más ligera brisa. Un joven aprendiz de hechicería le abrió y, por viejos escalones de madera mejor conocidos de las ratas que de los hombres, condujo a Alveric a la estancia alta del mago.

El mago tenía puesta una capa de seda negra que, según dijo, le era debida al futuro; sin ella no interrogaría a los años por venir. Y cuando el joven aprendiz se hubo retirado, se acercó a un volumen que estaba sobre una alta repisa y se volvió del volumen a Alveric para preguntarle qué buscaba del futuro. Y Alveric le preguntó cómo llegar al País de los Elfos. Entonces el mago abrió la cubierta oscurecida del gran libro y volvió sus páginas; durante largo tiempo las páginas que volvía estaban en blanco, pero más adelante apareció una abundante escritura, aunque de una especie jamás vista antes por Alveric. Y el mago le explicó que libros de esta clase lo decían todo; pero que él, sólo interesado en el futuro, no tenía necesidad de leer el pasado y, por tanto, había adquirido un libro que sólo hablaba del futuro; aunque podría haber adquirido más que esto en la Escuela de Hechicería, si hubiera querido estudiar las locuras ya cometidas por el hombre.

Luego leyó por un rato el libro y Alveric oyó a las ratas que volvían a las calles y las casas que habían construido en las escaleras. Y entonces el mago encontró lo que buscaba del futuro y le dijo que estaba escrito en el libro que nunca llegaría al País de los Elfos en tanto llevara una espada mágica.

Cuando Alveric oyó esto, le dio al mago su recompensa y partió dolido. Porque conocía los peligros del País de los Elfos, que ningún sable común forjado en los yunques de los hombres lograría jamás evitar. No sabía que la magia con que estaba cargada su espada dejaba un sabor o un gusto en el aire como el del rayo, que atravesaba la linde de crepúsculo y se esparcía por el País de los Elfos; tampoco sabía que el Rey de los Elfos se enteraba así de su presencia y alejaba de él sus fronteras para que no pudiera perturbar su reino; pero creyó lo que el mago le había leído en su libro y, por tanto, se alejó dolido. Y dejando las escaleras de roble al tiempo y las ratas, pasó por el bosquecillo de mirtos y los campos de los hombres y llegó otra vez a ese sitio melancólico donde su tienda gris meditaba luctuosa a la intemperie, lóbrega y silenciosa como Niv y Zend, que estaban sentados a su lado. Y después de eso se volvieron y erraron hacia el sur, porque todos los viajes le parecían, ahora igualmente desesperanzados a Alveric, que no estaba dispuesto a abandonar su espada para enfrentar peligros mágicos sin mágica ayuda; y Niv, y Zend lo obedecieron en silencio, sin ofrecerle ya la ayuda de frenéticas profecías las cosas dichas por la luna, pues sabían que había recibido el consejo de un extraño.

Por fatigosos caminos, avanzando solitarios, se adentraron profundamente en el sur sin hallar la linde del País de los Elfos con sus densas capas de crepúsculo; no obstante, Alveric no abandonó su espada porque con razón adivinaba que el País de los Elfos temía su magia y pocas eran sus esperanzas de rescatar a Lirazel con una hoja sólo terrible para los hombres. Y al cabo de un tiempo Niv volvió a profetizar y Zend se acercaba tarde las noches de luna llena para despertar a Alveric con sus cuentos. Y a pesar de todo el misterio que embargaba a Zend cuando hablaba y la exaltación de Niv cuando profetizaba, Alveric sabía por entonces que cuentos y profecías eran vanos y estaban vacías, pues nunca lo llevarían al País de los Elfos. Con este desolado conocimiento en una tierra desolada, aún levantaba campamento al amanecer, aún avanzaba, aún buscaba la linde, y así pasaban los meses.

Y un día en el sitio donde el borde de la Tierra era un salvaje brezal sin labranza, corriendo por el rocoso baldío en el que Alveric había acampado, vio al atardecer a una mujer con el sombrero y la capa de una bruja que barría los brezos con una escoba. Y a cada movimiento con que barría, volaban los brezos de los campos que conocemos por el baldío rocoso hacia el este, hacia el País de los Elfos. Grandes ráfagas de negra tierra seca y arena le llegaban a Alveric con cada uno de los enérgicos movimientos. Se le acercó desde su triste campamento y la miró barrer; pero ella siguió aplicada a su vigorosa tarea alejándose a largas, zancadas detrás del polvo de los campos que conocemos. Y al cabo de un tiempo, levantó la cara mientras barría y miró a Alveric; vio éste entonces que era la bruja Ziroonderel. Al cabo de todos esos años volvía a ver a la bruja; y ella vio bajo los andrajos estremecidos de su capa, la espada que le había fabricado otrora en su colina. La vaina, de cuero no podía ocultarle a la bruja que era esa misma espada, pues conocía el sabor de magia que despedía ligera y que flotaba a lo lejos en el aire de la tarde.

—¡Madre bruja! —exclamó Alveric.

Y ella le hizo una profunda reverencia a pesar de sus dotes mágicas y estar envejecida por años pasados desde antes

del tiempo del padre de Alveric; y aunque muchos habitantes de Erl habían olvidado ya a su señor, ella no lo había olvidado.

Él le preguntó qué era lo que hacía allí en el brezal con la
escoba a la caída de la tarde.

—Barro el mundo —le respondió ella.

Y Alveric se preguntó qué cosas desechadas barría ella del
mundo junto con el polvo gris que luctuosamente giraba y
giraba al irse de nuestros campos lentamente hacia la oscuridad que estaba concentrándose más allá de nuestras
costas.

—¿Por qué barres el mundo, madre bruja? —le preguntó.

—Hay cosas en el mundo que no deberían estar en él —le
constestó ella.

Miró él entonces ansioso las nubes grises que, despren-
didas de su escoba, se dirigían todas hacia el País de los Elfos.

—Madre bruja —preguntó— ¿puedo ir yo también?
Hace doce años que busco la tierra de los Elfos y no he tenido
ni un atisbo de las Montañas Feéricas.

Y la vieja bruja lo miró bondadosa y miró luego su espada.

—Tiene miedo de mi magia —dijo; y el pensamiento o el
misterio lució en sus ojos al hablar.

—¿Quién? —preguntó Alveric.

Y Ziroonderel bajó la vista.

—El rey —dijo.

Y le contó entonces cómo ese monarca encantado se apartaba de todo lo que lo hubiera dañado una vez, y con él
apartaba todo lo que tenía, pues no soportaba la presencia de
magia alguna que igualara a la suya.

Y a Alveric no le era posible creer que semejante rey se cuidara tanto de la magia que él llevaba en su vieja vaina negra.

—Es su costumbre —dijo ella.

No le era posible a él creer entonces que hubiera estado alejando al País de los Elfos.

—Tiene poder para hacerlo —dijo ella.

Y aun así estaba dispuesto Alveric a enfrentar a este rey terrible y a todos los poderes que tuviera; pero el mago y la bruja le habían advertido que no podría ir allí con su espada y ¿cómo atravesar desarmado el bosque espantable al encuentro de ese palacio de maravilla? Porque ir allí con cualquier espada salida de los yunques de los hombres equivalía a ir desarmado.

—Madre bruja —clamó— ¿no podré jamás llegar al País de los Elfos?

Y el anhelo y el dolor que había en su voz conmovió el corazón de la bruja y la movió a mágica piedad.

—Llegarás —le dijo.

Él se quedó allí en la lóbrega tarde a medias desesperado y a medias soñando con Lirazel. Mientras tanto la bruja sacó de bajo su capa una pequeña pesa falsa que le había quitado una vez a, un vendedor de pan.

—Pasa esto a lo largo del filo de tu espada —dijo—: desde la empuñadura hasta la punta, y así se desencantará la hoja; de ese modo el rey no reconocerá la presencia de la espada.

—Pero ¿aun luchará para mí? —preguntó Alveric.

—No —dijo la bruja—. Pero después de atravesada la linde toma este escrito y frota con él la hoja donde la falsa pesa la hoja ha tocado. Y hurgó nuevamente bajo su capa y sacó un poema escrito en un pergamino. Volverá a quedar encantada —dijo.

Y Alveric cogió la pesa y el escrito.

—No dejes que estén en contacto —le advirtió entonces la bruja.

Y él los guardó por separado.

—Una vez que hayas cruzado la linde —le dijo ella—, traslade el rey al País de los Elfos a donde quiera, tú y tu espada estaréis ya dentro de sus confines.

—Madre bruja —le preguntó Alveric— ¿se enfadará él contigo si lo hago?

—¡Enfadarse! —exclamó Ziroonderel—. ¿Enfadarse? Será la suya una furia fuera del alcance del poder de los tigres.

—No quiero que se vuelva contra ti, madre bruja —dijo Alveric.

—¡Ja! —dijo Ziroonderel—. ¿A mí qué me importa?

Ya estaba por entonces avanzando la noche y el páramo y aire se volvían negros como la capa de la bruja. Ella se estaba riendo ahora y se mezclaba con la oscuridad. Y la noche no tardó en ser toda negrura y risa; pero ya no le era posible ver a la bruja.

Entonces Alveric se dirigió al campamento rocoso junto a la luz de la fogata solitaria.

Y no bien se mostró la mañana sobre toda esa desolación y todas las rocas inútiles empezaron a brillar, cogió la pesa falsa y frotó con ella suavemente ambos lados de su espada hasta que todo su filo mágico estuvo desencantado. Y esto lo hizo en la tienda mientras sus camaradas dormían, porque no quiso que supieran que había buscado ayuda que no viniera de los desvaríos de Niv ni de lo que la luna le dijera a Zend.

Pero el sueño perturbado de la locura no es tan profundo como para que Niv no lo observara con un astuto ojo frenético cuando oyó la pesa falsa que raspaba suavemente la espada.

Y después que esto fue hecho en secreto y en secreto espiado, Alveric llamó a sus dos hombres, y ellos vinieron y plegaron la desgarrada tienda, cogieron la larga estaca y colgaron sus lamentables pertenencias en ella; y adelante siguió Alveric a lo largo del borde de los campos que conocemos impaciente por llegar por fin al país que por tanto tiempo lo había esquivado. Y Niv y Zend iban detrás llevando entrambos la estaca con atados que se mecían y girones que volaban.

Avanzaron tierra adentro desviándose un tanto hacia las casas de los hombres para adquirir los alimentos que necesitaban; y se lo compraron por la tarde a un granjero que habitaba en una casa solitaria, tan cerca del borde mismo de los campos que conocemos, que debió de haber sido la última casa del mundo visible. Y allí compraron pan, avena, queso, un jamón curado y otras cosas por el estilo; y las pusieron en sacos y las colgaron de la pértiga; luego dejaron al granjero y se alejaron de sus campos y de todos los campos de los hombres. Y al caer la tarde vieron sobre un seto, iluminando la tierra con un fulgor extraño, que supieron que no era de este mundo, la linde de crepúsculo que es la frontera del País de los Elfos.

—¡Lirazel! —exclamó Alveric, y desenvainó su espada y avanzó sobre el crepúsculo. Y detrás le fueron Niv y Zend, su desconfianza ahora convertida en celos de inspiraciones o magia que no era la suya.

Una vez llamó a Lirazel, no confiando demasiado en su voz en esa vasta tierra extraña, levantó su cuerno de cazador que le colgaba a uno de sus flancos de una correa, se lo llevó a los labios e hizo sonar una nota fatigada por todos sus viajes. Se encontraba más allá del borde de la linde; el cuerno resplandecía en la luz del País de los Elfos.

Entonces Niv y Zend dejaron caer la estaca en ese crepúsculo ultraterreno donde quedó tirada como el desecho de

algún mar no señalado en las cartas, y de pronto se apoderaron de su amo.

—¡Una tierra de sueños! —exclamó Niv—. ¿No sueño yo
lo suficiente?

—¡Allí no hay luna! —grito Zend.

Alveric golpeó a Zend en el hombro con su espada, pero
la espada estaba desencantada y mellada y sólo le produjo un
daño ligero. Entonces los dos hombres se apoderaron de la
espada y arrastraron a Alveric hacia atrás. Y la fuerza del loco
era mayor que lo que es posible concebir. Volvieron a arras-
trarlo hacia los campos que conocemos, donde los dos eran
extraños y sentían celos de otras extrañezas que no eran la
suya, y lo llevaron lejos de la vista de las montañas azules. No
había penetrado en el País de los Elfos.

Pero su cuerno había atravesado el borde de la linde y
había perturbado el aire del País de los Elfos, emitiendo en su
ensoñadora clama una larga y triste nota terrena: era el cuerno
que había oído Lirazel mientras hablaba con su padre.

Capítulo XXVII

EL REGRESO DE LURULU

Sobre el villorrio y el castillo de Erl, y a través de cada uno
de sus escondrijos y hendeduras pasó la primavera; una dulce
bendición que bendecía el aire mismo e iba al encuentro de todas las criaturas vivientes, sin descuidar siquiera las plantas minúsculas que tienen su morada en los sitios más ocultos, bajo
los aleros, en las grietas de los toneles o a lo largo de las líneas
de argamasa que mantenían unidas viejas hileras de piedras.

Y en esta estación Orión no cazaba unicornios; no es que supiera en qué estación se crían los unicornios en el País de los Elfos, donde el tiempo no transcurre como aquí; sino por un sentimiento que le venía de sus antecesores terrenos, contrario a la caza de cualquier criatura en esta estación de flores y canciones. De modo que cuidaba de sus perros y vigilaba las colinas esperando el regreso de Lurulu en cualquier momento.

Y pasó la primavera y crecieron las flores del verano y no había todavía señales del regreso del trasgo, pues el tiempo se mueve en los valles del País de los Elfos como no se mueve en campo alguno de los hombres. Y durante muchos atardeceres evanescentes esperó Orión hasta que la línea de las colinas se ennegrecía sin ver nunca las cabecitas redondas de los trasgos agitadas en los bajos.

Y llegaron los prolongados vientos otoñales suspirando desde las tierras frías, y encontraron a Orión todavía a la espera de Lurulu; y la niebla y las hojas danzantes le hablaban a su corazón de la caza. Y los perros lloraban por los espacios abiertos y la línea de olor que como un sendero misterioso cruza el vasto mundo, pero Orión se resistía a cazar nada que no fueran unicornios y seguía esperando a los tragos.

Y uno de esos días terrenos con amenaza de escarcha en el aire y una puesta de sol escarlata, terminada la conversación de Lurulu con los trasgos en el bosque y habiéndolos llevado pronto a la frontera su carrera más veloz que la de las liebres, los hombres de nuestros campos que hubieran estado mirando (como rara vez lo hacían) hacia esa misteriosa linde donde, terminaba la Tierra, podrían haber visto las desacostumbradas formas de los ágiles trasgos que avanzaban grises a la caída de la tarde. Llegaban cayendo, un trasgo detrás del

otro, desde el alto salto que habían dado al cruzar la frontera de crepúsculo; y aterrizando así sin ceremonia en nuestros
campos, se acercaban dando cabriolas, saltos mortales y corriendo, lanzando descaradas carcajadas como si fueran esos
modales adecuados para dirigirse al que de modo alguno es el
menor de los planetas.

Crujían como hojas al pasar junto a las casas pequeñas al
igual que el viento a través de la paja, y nadie que oyera el
ligero sonido precipitado de su paso adivinaría cuán ultrate-
rrestres eran, con excepción de los perros, cuyo trabajo es la
vigilancia y que conocen de toda criatura que pasa, cuan remota es del hombre. A los gitanos, a los vagabundos y a todo
el que se traslada sin casa, los perros ladran cada vez que pasan; a las criaturas salvajes de los bosques les ladran con mayor aborrecimiento todavía, pues conocen el rebelde desprecio que sienten por el hombre; al zorro, por su toque, de
misterio y sus distantes merodeos, ladran más furiosamente;
pero esa noche el ladrido de los perros estaba más allá del
aborrecimiento y de la furia; muchos granjeros creyeron esa
noche que sus perros se ahogaban.

Y al pasar por esos campos sin detenerse a reír de las torpes ovejas asustadas que huían, pues reservaban su risa para el
hombre, no tardaron en llegar a los bajos en torno de Erl; y
allí, por debajo de ellos, estaban la noche y el humo del
hombre, ambos grises. Y por no saber de qué ligeras causas
dependía el humo, aquí porque una mujer hierve un caldero
de agua, allí porque alguien seca los vestidos de un niño acullá
porque unos pocos viejos se calientan las manos en la noche,
los trasgos se abstuvieron de reír como tenían intención de
hacerlo no bien se toparan con las cosas de los hombres.
Quizás aún a ellos, cuyos más graves pensamientos apenas

estaban bajo la superficie de la risa, quizás aun a ellos los impresionó respetuosamente la extrañeza y la cercanía del hombre allí dormido en su villorrio con todo ese humo a su alrededor. Aunque la impresión respetuosa en estas mentes ligeras no se demoraba más que la ardilla en las delgadas ramitas extremas de los árboles.

Al cabo de un rato apartaron la mirada del valle, y allí estaba el cielo del oeste todavía brillando al fin del crepúsculo, una pequeña banda de color y una luz agonizante, tan hermoso que creyeron que al otro lado del valle había otro país de los elfos, dos diáfanas tierras feéricas veladas y mágicas que bordeaban este valle con unos pocos campos donde habita el hombre en la cercanía de ambos lados. Y desde allí, en la ladera de la colina, mientras miraban hacia el oeste, lo que vieron después fue una estrella: era Venus muy baja en el cielo teñido de azul. E inclinaron muchas veces la cabeza ante este extraño forastero celeste; porque aunque no eran corteses con mucha frecuencia, vieron que la Estrella de la Tarde no era nada que perteneciera a la Tierra, ni que fuera asunto de los hombres, y creyeron que venía de ese país de los elfos, desconocido para ellos, del lado occidental del mundo. Y cada vez más estrellas aparecieron, hasta que los trasgos tuvieron miedo, pues nada sabían de estos resplandecientes viajeros, capaces de salir furtivos de la oscuridad y brillar. Al principio dijeron:

—Hay más trasgos que estrellas.

Y se sintieron tranquilizados, pues tenían gran confianza en el número. Pero no tardó en haber más estrellas que trasgos; y se sintieron intranquilos allí, sentados en la oscuridad bajo toda esa multitud. Pero pronto olvidaron lo que los preocupaba, pues nunca pensamiento alguno les duraba.

Volvieron su ligera atención en cambió a las luces amarillas que aquí y allí brillaban en la cercanía gris, donde unas pocas casas humanas se levantaban cálidas y confortables. Pasó un escarabajo y ellos dejaron de charlar para escuchar lo que dijera; pero él zumbó camino de su casa, y no les fue posible comprender su lengua. Un perro a lo lejos aullaba sin cesar llenando la noche serena con una nota de advertencia. Y el sonido de su voz irritó a los trasgos, pues sentían que se interponía entre ellos y el hombre. Luego una suave blancura salió de la noche y se posó en la rama de un árbol; volvió la cabeza hacia la izquierda y miró a los trasgos; luego volvió la cabeza hacia la derecha y los miró nuevamente desde allí, y otra vez desde la izquierda, pues todavía no tenía certeza a su respecto.

—Un búho —dijo Lurulu.

Y muchos además de Lurulu habían visto antes a criaturas de su especie, pues suelen volar con frecuencia a lo largo del borde del País de los Elfos. No tardó en partir y lo oyeron luego cazando en las colinas y las hondonadas; no hubo después más sonido que el de las voces de los hombres o los agudos gritos de los niños y el aullido del perro que prevenía a los hombres la presencia de los trasgos.

—Atinado individuo —dijeron del búho, pues les gustaba el sonido de su voz; pero las voces de los hombres y sus perros sonaban confusas y cansadoras.

Veían a veces las luces de viajeros demorados que cruzaban los bajos hacia Erl y oían a hombres que se animaban en la noche solitaria cantando en lugar de hacerlo junto al fuego. Y durante todo ese tiempo la Estrella de la Tarde se iba haciendo cada vez más grande, y los grandes árboles se volvían más y más negros.

Luego, desde debajo del humo y la niebla de la corriente, irrumpió de pronto estrepitosa la campana de bronce del Libertador en la profunda noche del valle. La noche, las cuestas de Erl y los oscuros bajos le respondieron con el eco; y el eco avanzó sobre los trasgos y pareció amenazarlos junto con todas las criaturas malditas, los espíritus errantes y los cuerpos privados de la bendición del Libertador.

Y el solemne sonido de estos ecos que avanzaban solos, en la noche a partir de cada inclinación de la santa campana, animó a esa bandada de trasgos en medio de la extrañeza de la Tierra, porque toda cosa solemne mueve a los trasgos a la ligereza. Estaban más alegres ahora y emitían risitas ahogadas entre sí.

Y mientras estaba todavía contemplando todo ese ejército de estrellas, preguntándose si serían amistosas, el cielo se volvió azul acero y las estrellas del este menguaron, la niebla y el humo de los hombres se volvieron blancos y un fulgor tocó el extremo más alejado del valle; y la luna salió sobre los bajos detrás de los trasgos. Llegaron entonces voces desde el santo lugar del Libertador, que cantaban los maitines de la luna; solía cantárselos las noches de luna llena mientras ésta se encontraba todavía baja. Y a este rito lo llamaban mañana de la luna. La campana ya no se oía, las voces esporádicas ya no hablaban, habían acallado al perro en el valle y silenciado su advertencia, y solitaria, grave y solemne la canción de la gente flotaba desde delante de las candelas en su pequeño y santo recinto sagrado, hecho de piedra gris por hombres muertos desde tiempos remotos; crecía la solemne canción como una ola a medida que la luna se elevaba, cargada de una significación que escapaba a los más altos pensamientos de los trasgos.

Saltaron luego los trasgos todos juntos desde la hierba escarchada de los bajos y descendieron por el valle a reírse de los usos de los hombres, a burlarse de sus objetos sagrados y a desafiar su canto con ligereza.

Muchos conejos huyeron ante el avance y los trasgos se rieron a carcajadas de su miedo. Un meteoro resplandeció hacia el oeste, precipitado en pos del sol: ya un portento para prevenir al villorrio de Erl que habitantes de más allá de los límites de la Tierra se les aproximaban, ya el cumplimiento de alguna ley natural. A los trasgos les pareció que una de las orgullosas estrellas se caía, y se regocijaron con feérica ligereza.

Así llegaron riendo quedo a través de la noche, y corrieron por la calle de la ciudad, invisibles como toda criatura silvestre que yerra tarde en la oscuridad; y Lurulu los condujo al palomar y todos en tumulto se treparon a él. Cierto rumor circuló en la aldea de que un zorro había saltado al palomar, pero cesó no bien las palomas regresaron a su morada, y la gente de Erl no tuvo indicio alguno hasta la mañana de que nada hubiera entrado en su aldea desde más allá de los límites de la Tierra.

—En una masa parda más densa que la de los cerdos a lo largo del borde de un comedero, los trasgos atestaban el suelo del palomar. Y el tiempo pasaba sobre ellos como sobre todas las cosas terrenas. Y bien sabían ellos, aunque su inteligencia era escasa, que al cruzar la linde de crepúsculo padecerían el deterioro que ocasiona el Tiempo; porque nadie habita al filo del peligro, ignorante de su amenaza: como los conejos en alturas rocosas conocen el peligro del acantilado, los que moran cerca del filo de la Tierra bien conocen el riesgo del tiempo. Y no obstante, vinieron. La maravilla y la seducción de la Tierra habían sido excesivas para ellos. ¿Acaso muchos jóvenes no dilapidan la juventud como ellos dilapidaban la inmortalidad?

Y Lurulu les enseñó cómo esquivar por un rato el tiempo, que de otro modo los envejecería más y más a cada instante y los haría girar en el remolino incesante de la Tierra durante toda la noche. Entonces encogió las rodillas, cerró los ojos y se mantuvo inmóvil. Esto, les explicó, era el sueño; y advirtiéndoles que debían seguir respirando, aunque por lo demás inmóviles, se quedó dormido en serio; y después de algunos vanos intentos, los trasgos pardos hicieron lo mismo.

Cuando llegó el alba despertando a todas las criaturas terrenas, largos rayos atravesaron las treinta ventanitas y despertaron a palomas y trasgos por igual. Y la masa de trasgos se agolpó a las ventanitas para contemplar la Tierra, y las palomas subieron aleteando a las vigas y desde allí miraron de soslayo a los trasgos. Y allí se hubiera quedado el montón de trasgos encaramados los unos sobre los hombros de los otros, bloqueando las ventanitas mientras examinaban la variedad e inquietud de la Tierra y encontrándolas a la altura de las más extrañas fábulas que los viajeros les habían llevado desde nuestros campos; y, aunque Lurulu con frecuencia se los recordaba, habían olvidado a los altivos unicornios blancos que debían cazar con ayuda de los perros.

Pero al cabo de un tiempo Lurulu los arrastró del palomar y los llevó a las perreras. Y subieron a lo alto de la empalizada y desde allí atisbaron a los perros.

Cuando los perros vieron esas extrañas cabezas asomadas por las empalizadas, hicieron un gran alboroto. Y en seguida llegó la gente para ver qué era lo que perturbaba a los perros.

Y cuando vieron la masa de trasgos todo alrededor de empalizadas, se dijeron los unos a los otros, y lo mismo dijeron los que lo escucharon:

—Hay magia ahora en Erl.

Capítulo XXVIII

CAPÍTULO SOBRE
LA CAZA DEL UNICORNIO

Nadie en Erl estaba tan ocupado que no acudiera esa mañana a ver la magia recién llegada del País de los Elfos y comparar a los trasgos con todo lo que los vecinos decían de ellos. Y la gente de Erl miró mucho a los trasgos, y los trasgos, a la gente de Erl, y hubo un gran regocijo; porque, como a menudo sucede con mentes de peso desigual, se reían los unos de los otros. Y los aldeanos no hallaban la descarada actitud de los desnudos y movedizos trasgos pardos más risible, más adecuada a la burla, que los trasgos hallaban ridículos la gravedad de los sombreros, las curiosas ropas y el aire solemne de los aldeanos.

Y también pronto acudió Orión, y la gente de la aldea lo saludó con sus largos sombreros delgados; y aunque los trasgos también se hubieran reído de él, Lurulu había encontrado su látigo y con su ayuda hizo que sus descarados hermanos le dirigieran el saludo con el que se recibe en el País de los Elfos a aquellos de linaje real.

Cuando llegó el mediodía, que era la hora de la comida, la gente se retiró de las perreras y volvió a su casa alabando la magia que por fin había llegado a Erl.

Durante los días que siguieron, los perros de Orión aprendieron que era vano perseguir a un trasgo y, desatinado gruñirle; pues, aparte de su velocidad feérica, los trasgos eran capaces de saltar en el aire muy por sobre la cabeza de los perros, y cuando cada cual hubo recibido un látigo, pudieron retribuir un gruñido con una puntería que nadie en la Tierra igualaba, con excepción de aquellos cuyos progenitores habían tenido un látigo y perros durante generaciones.

Y una mañana Orión fue al palomar y llamó temprano a Lurulu y, en compañía de los trasgos fue a las perreras, abrió las puertas y fueron todos hacia el este sobre los bajos. Los perros se trasladaban a una y los trasgos con sus látigos corrían al lado, como una majada de ovejas rodeada de muchos collies. Llegaron a la frontera del País de los Elfos a la espera de los unicornios que atraviesan el crepúsculo para comer las hierbas terrenas a la caída de la tarde. Y cuando nuestro anochecer empezaba a dulcificar los campos que conocemos, llegaron a la linde opalescente que los separaba del País de los Elfos. Y allí se quedaron atisbando mientras la oscuridad de la Tierra crecía a la espera de los grandes unicornios. Cada perro tenía al lado a su trasgo que le pasaba la mano derecha por sobre el lomo o el cuello tranquilizándolo, calmándolo y sujetándolo, mientras que con la mano izquierda sostenía el látigo; el extraño grupo se estaba allí inmóvil y oscurecía junto con la tarde. Y cuando la tierra estaba tan penumbrosa y tranquila como los unicornios la deseaban, las grandes criaturas se acercaron furtivas y estuvieron bien adentradas en la tierra antes de que los trasgos permitieran que los perros se movieran. Así, cuando Orión dio la señal, con facilidad se interpusieron entre uno de los unicornios y su feérica morada y lo persiguieron bufando por los campos que son la heredad del hombre. Y bajo la noche sobre el mágico galope de la orgullosa bestia, y los perros se intoxicaron con ese olor maravilloso y los trasgos saltaban alto en el aire.

Y cuando los grajos posados en las torres más elevadas de Erl vieron el borde del sol enrojecido sobre los campos escarchados, Orión volvió de los bajos con sus perros y sus trasgos trayendo una cabeza tan magnífica como pueda desearla un cazador de unicornios. Los perros, cansados pero felices, no tardaron en acurrucarse en sus perreras, y Orión en su lecho; mientras que los trasgos en su palomar empezaron a sentir, como nunca nadie, salvo Lurulu, había sentido antes el peso y la fatiga del tránsito del tiempo.

Todo el día durmió Orión, y lo mismo hicieron sus perros, sin que ninguno se preocupara por cómo dormía o por qué; mientras que los trasgos dormían ansiosos, quedándose dormidos tan de prisa como les era posible en la esperanza de esquivar un tanto la furia del tiempo que, temían, había empezado a atacarlos. Y esa noche, mientras perros, trasgos y Orión todavía dormían, otra vez se reunió en la herrería de Narl el parlamento de Erl.

Desde la herrería a la estancia interior fueron los doce ancianos frotándose las manos y sonriendo, rojos de salud, del vívido viento del Norte y de la satisfacción de sus pronósticos; porque los alegraba estar por fin convencidos de que su señor estaba dotado de magia, y preveían grandes hazañas en Erl.

—Gente —les dijo Narl, llamándolos así de acuerdo con una vieja costumbre— ¿no hay por fin satisfacción para nosotros y para nuestro valle? Ved como todo sucede según lo planeamos hace mucho tiempo atrás. Porque nuestro señor es un señor mágico como lo deseábamos, y criaturas mágicas han venido en su busca desde más allá, y todos obedecen lo que manda.

—Así es, en efecto —dijeron todos salvo Gazic, un vendedor de ganado.

Pequeña, antigua y apartada era Erl, recluida en su valle profundo, inadvertida por la historia; y los doce hombres amaban el lugar y deseaban su fama. Y ahora se regocijaban al oír las palabras de Narl.

—¿Qué otra aldea —preguntó— mantiene relación con el sitio de más allá?

Y Gazic, aunque regocijado durante una pausa en la manifestación de dicha.

—Muchas criaturas extrañas —dijo— penetraron en nuestra aldea, llegadas desde más allá. Y puede que los humanos sean mejores, y también los usos de los campos que conocemos.

Oth lo despreció, y Threl.

—La magia es mejor —dijeron todos.

Y Gazic volvió a guardar silencio y ya no volvió a alzar la voz en contra de la mayoría; y el hidromiel circuló y todos hablaron de la fama de Erl; y Gazic olvidó su estado de ánimo y el temor que había en él.

Hasta muy tarde en la noche se regocijaron atragantándose de hidromiel y, con su sencilla ayuda, contemplando los años del futuro hasta donde ello puede hacerse con los ojos de los hombres. Pero toda su alegría era acallada y bajas sus voces por temor de que los oídos del Libertador las alcanzara; porque la dicha les venía de tierras que están más allá de la idea de salvación, y ellos tenían depositada su confianza en la magia, contra la cual clamaba, como bien lo sabían ellos, cada nota de la campana del Libertador cuando la tocaba al anochecer. Y se separaron tarde alabando la magia en tonos bajos y volvieron en secreto a sus casas, porque temían la maldición

que el Libertador había echado a los unicornios. Y no sabían
si sus nombres no podrían quedar involucrados en una de las
maldiciones lanzadas contra las criaturas mágicas.

Todo el siguiente día Orión dio descanso a sus perros, y
los trasgos y la gente de Erl se miraron entre sí. Pero al día
siguiente Orión cogió su espada y reunió al grupo de trasgos
y a la jauría, y todos se alejaron nuevamente por los bajos al
encuentro de la linde de nubosa opalescencia para espiar la
llegada de los unicornios a la caída de la tarde.

Llegaron a una parte de la frontera alejada del sitio que
habían perturbado sólo tres noches atrás; y fue allí guiado
Orión por los trasgos parloteantes, pues ellos conocían bien
por dónde merodeaban los unicornios solitarios. Y llegó
enorme y silencioso el atardecer de la Tierra, hasta que todo
estuvo en penumbra como el crepúsculo; y ni un paso oyeron
de los unicornios, ni un atisbo de su blancura. Y, sin embargo, los trasgos habían guiado bien a Orión, porque justo
cuando Orión ya desesperaba de cazar aquella tarde, cuando
la tarde parecía total y definitivamente vacía, un unicornio se
erguía en el borde de crepúsculo, donde nada había habido
sólo un instante antes; no tardó en avanzar lentamente por las
hierbas terrenas de los campos de los hombres.

Otro lo siguió adelantándose también unos pasos; y luego se
detuvieron durante quince de nuestros minutos terrenos sin mo-
ver otra cosa que sus orejas. Y todo ese tiempo los trasgos mantuvieron en silencio a los perros, inmóviles bajo un seto de los campos que conocemos. La oscuridad casi los había escondido
cuando por fin los unicornios se movieron. Y no bien el mayor
se hubo alejado lo bastante de la linde, los trasgos dejaron en li-
bertad a los perros y corrieron junto con ellos lanzando agudos
aullidos de burla, todos ya seguros de contar con su altiva cabeza.

Pero las veloces mentecillas de los trasgos, aunque habían aprendido mucho de la Tierra, no habían comprendido aún las irregularidades de la luna. La oscuridad les era novedosa y no tardaron en perder a sus perros. La ansiedad que experimentaba Orión por cazar le había impedido escoger una noche adecuada: no había luna en absoluto y no la habría hasta no estar muy lejos la mañana. También él quedó pronto atrás.

Orión reunió sin dificultad a los trasgos, la noche se colmaba de los frívolos sonidos que emitían, y acudieron al sonido de su cuerno, pero ningún perro abandonaría ese penetrante olor mágico por cuerno alguno que soplan los hombres. Volvieron dispersos y fatigados al día siguiente después de haber perdido al unicornio.

Y mientras cada trasgo esa noche lavaba y, daba de comer a su perro después de la cacería, preparaba un montoncito de paja para que se tendiera, le suavizaba la pelambre, buscaba espinos en sus patas y cardas en sus orejas, Lurulu estaba solo, concentrando su pequeña inteligencia aguda como una blanca lucecita ardiente bajo un cristal, en una única pregunta. La pregunta que se formulaba Lurulu hasta tan avanzada la noche era cómo cazar unicornios con perros en la oscuridad. Y a medianoche tenía un plan claro en su mente feérica.

Capítulo XXIX

LA SEDUCCIÓN DE LOS HABITANTES DE LOS MARJALES

Mientras la tarde siguiente empezaba habría, podido verse a un viajero aproximándose a los marjales que a cierta dis-

tancia por el sudeste de Erl se extendían a lo largo del borde
de las granjas y prolongaban su terrible desolación hasta la
línea del horizonte, y aun por sobre el borde y dentro de la
región del País de los Elfos. Ahora, al paso que la luz abandonaba la tierra, empezaban a brillar.

Tan negras eran las solemnes ropas y el alto sombrero
grave del viajero, que podría haber sido visto desde lejos sobre el oscurecido verde de los campos, avanzando hacia el
borde de los marjales por la tarde gris. Pero nadie había allí a
esa hora que viera nada junto a ese desolado sitio, pues la
amenaza de la oscuridad ya se sentía en los campos, y todas
las vacas estaban en sus corrales y los grarijeros abrigados en
sus casas; de modo que el viajero andaba a solas. Y no tardó
en llegar por senderos riesgosos a los delgados juncos a los
que el viento contaba cuentos que no tienen significación
para el hombre, largas historias de lobreguez y antiguas leyendas de la lluvia; mientras tanto, en las tierras oscurecidas
que había dejado atrás, veía titilar las luces donde las casas se
levantaban. Caminaba con la gravedad y el aire solemne de
quien tiene importantes asuntos que tratar con los hombres;
no obstante, le daba la espalda a sus casas y se dirigía a donde
ningún hombre se dirige, avanzando hacia donde no hay
villorrios ni cabañas humanas, porque los marjales penetraban en el País de los Elfos. Entre él y el límite nuboso que
separa la Tierra del País de los Elfos no había hombre alguno
y, no obstante, el viajero avanzaba como quien tiene un serio
cometido. Con cada uno de los venerables pasos que daba, el
musgo brillante se estremecía y el marjal parecía estar a punto
de tragárselo mientras su sólido bastón se hundía en el lodo
sin prestarle apoyo ninguno; no obstante, el viajero parecía
sólo preocuparse por la solemnidad de su paso. De este modo

avanzaba por la ciénaga mortal con un porte adecuado a la lenta procesión de los ancianos al abrir el mercado en días especiales, y el más grave da su bendición al negocio y acuden todos los granjeros a los puestos dispuestos al trueque.

Arriba y abajo, arriba y abajo, los pájaros canoros iban revoloteando de regreso a sus setos natales bordeando el marjal; las palomas se dirigían a tierra para anidar en los altos árboles oscuros; el último de una multitud de grajos se había ido; y todo el aire estaba vacío.

Y ahora el gran marjal estaba excitado ante la nueva de la llegada de un forastero; porque, no bien el viajero hubo pisado gravemente el musgo brillante que crece en los estanques, la excitación cundió en sus raíces y bajo los tallos de los juncos y corrió como una luz bajo la superficie del agua o como el sonido de una canción y llegó, más allá de los marjales, estremecido hasta la frontera del mágico crepúsculo que divide la Tierra del País de los Elfos; y no se quedó allí, sino que perturbó la linde misma, la atravesó y se sintió en el País de los Elfos: porque donde los grandes marjales llegan al borde de la Tierra, la frontera es más delgada e incierta que en otro sitio alguno.

Y no bien sintieron esa excitación en la profundidad del marjal, los fuegos fatuos se elevaron desde sus moradas insondables y agitaron su luz para animar al viajero a seguir adelante sobre los musgos temblorosos a la hora en que los patos levantan vuelo. Y bajo el remolino, la precipitación y el regocijo de alas de los patos a esa hora, el viajero siguió las señales luminosas adentrándose más y más en los marjales. No obstante, a veces se apartaba de ellas, de modo que por un instante ellas lo seguían a él en lugar de ser las conductoras como era su costumbre, hasta que lograban ponérsele por delante y conducirlo una vez más. Un observador, si lo hubiera habido en tan mala luz y en sitio tan peligroso, habría advertido al cabo de un rato en los movimientos del viajero una extraña semejanza con los de la hembra del chorlito verde cuando atrae a los extraños tras de sí en primavera para apartarlos de la orilla musgosa donde quedan sus huevos expuestos. O quizás un semejante parecido es meramente ilusorio y el observador no advertiría tal cosa. De cualquier manera aquella noche en ese lugar desolado no había observador alguno.

Y el viajero seguía su extraño curso, a veces hacia los peligrosos musgos, otras hacia la firme tierra verde, siempre con grave porte y paso venerable, y los fuegos fatuos, en multitudes, lo rodeaban. Y esa intensa excitación que había advertido al marjal de la presencia de un extraño, palpitaba todavía a través de la exudación de las raíces de los juncos; y no cesaba, como lo haría no bien el extraño hubiera muerto, sino que recorría el marjal como el eco de una música que la magia ha vuelto sempiterna y perturbaba a los fuegos fatuos aun más allá de la frontera del País de los Elfos.

Ahora bien, está muy lejos de mi intención escribir nada en detrimento de los fuegos fatuos o algo que pueda considerarse una mácula a su respecto: de ningún modo tal cosa puede atribuírsele a mis escritos. Pero es bien sabido que los habitantes de los marjales atraen a la gente a su perdición y se han deleitado en ese pasatiempo durante siglos, permítaseme mencionarlo sin espíritu de censura.

Los fuegos fatuos que rodeaban al viajero redoblaron entonces sus esfuerzos con furia; y cuando él eludió sus últimos intentos de seducción sólo al borde mismo de los más mortales estanques, y aún vivía y aún avanzaba, y todo el marjal tenía conocimiento de ello, los fuegos fatuos mayores que moran en el País de los Elfos se elevaron desde su cieno mágico y se precipitaron por sobre la frontera. Y todo el marjal se perturbó.

Casi como pequeñas lunas vueltas del todo descaradas, los habitantes de los marjales refulgían ante el solemne viajero conduciendo sus pasos venerables hacia el borde de la muerte, para retroceder luego y hacerle señas una vez más. Y después, a pesar de la gran altura de su sombrero y el largo de su chaqueta oscura, esos frívolos habitantes empezaron a darse cuenta de que los musgos soportaban su peso, cuando nunca antes habían soportado el peso de viajero alguno. Creció su furia, entonces y se le acercaron más todavía de un salto; y más y más cerca se precipitaban sobre él dondequiera que fuera; y la furia hacía que perdieran su capacidad de atraer.

Y ahora un observador de los marjales si lo hubiera habido, habría visto no sólo a un viajero rodeado de fuegos fatuos; porque habría advertido que el viajero casi los conducía, en lugar de los fuegos fatuos conducirlo a él. Y en su impaciencia por verlo muerto, los habitantes de los marjales no advirtieron que cada vez más estaban acercándose a tierra firme.

Y cuando todo estaba ya oscuro salvo el agua, se encontraron de pronto en un campo de hierba y sus pies raspaban contra los duros pastos, mientras el viajero, sentado con las rodillas juntas bajo la barbilla los miraba por debajo del ala de su alto sombrero negro. Jamás nunca antes habían sido atraídos a tierra firme por viajero alguno, y se encontraban entre ellos esa noche algunos de los más viejos y más grandes, que habían venido con su luz lunar desde más allá de la lin-

de del País de los Elfos. Se miraron entre sí con inquieto
asombro al caer agotados sobre la hierba, porque la rudeza y
la pesantez de la tierra firme los oprimía después de haber
andado en los marjales. Y entonces empezaron a darse cuenta
de que ese venerable viajero cuyos ojos brillantes los observaban con tanta agudeza desde esa negra masa de ropas, era
apenas algo mayor que ellos a pesar del aire de dignidad que
se daba. A decir verdad aunque más corpulento y redondea-
do, no era tan alto. ¿Quién era ese, empezaron a musitar que
había atraído a los fuegos fatuos? Y algunos de los mayores
venidos del, País de los Elfos se dirigieron a él para preguntarle cómo se había atrevido a burlar a seres de su linaje. Y
entonces el forastero habló. Sin ponerse de pie ni volver la
cabeza les habló mientras permanecía sentado.

—Habitantes de los marjales —les dijo— ¿amáis a los
unicornios?

Y a la palabra «unicornios» el desprecio y la risa colmó el
minúsculo corazoncito de esa frívola multitud, excluyendo
toda otra emoción, de modo que olvidaron el enfado por
haber sido atraídos con engaño; aunque atraer a los fuegos
fautos se tenía por el más grave de los insultos y jamás lo
habrían perdonado si hubieran tenido la memoria menos
flaca. A la palabra «unicornios» todos rieron en silencio. Y
esto lo hicieron agitándose de arriba a abajo como la luz de
un espejuelo manejada por una mano traviesa. ¡Unicornios!
Poco amor sentían por esas altivas criaturas. Había que en-
señarles a dirigirse a los habitantes de los marjales cuando
fueran a beber en sus estanques. Era preciso que aprendieran
a conceder lo que se les debe a las grandes luces del País de los
Elfos y a las luces menores que iluminaban los marjales de la
Tierra.

—No —dijo uno de los fuegos fatuos mayores— nadie ama a los orgullosos unicornios.

—Venid entonces —dijo el viajero— y les daremos caza. Y vosotros nos iluminaréis en la noche con vuestras luces cuando les demos caza con ayuda de los perros en los campos de los hombres.

—Venerable viajero —dijo ese fuego; fatuo mayor; pero a esas palabras, el viajero arrojó el sombrero, saltó de su largo abrigo negro y se mostró ante los fuegos fatuos enteramente desnudo. Y los habitantes de los marjales vieron que era un trasgo que les había hecho una jugarreta.

Esto les produjo un enfado sólo muy ligero; porque los habitantes de los marjales le habían hecho jugarretas a los trasgos y éstos a aquéllos tantas veces durante tanto tiempo, que sólo los más sabios de entre ellos eran capaces de decir quiénes eran los que las habían hecho más y con cuántas jugarretas de ventaja. Se consolaron pensando en las ocasiones en que los trasgos habían quedado en ridículo y aceptaron asistir con sus luces a la cacería de unicornios, pues su voluntad era débil cuando estaban en tierra firme y fácilmente seguían cualquier sugerencia u obedecían el capricho de cualquiera.

Era Lurulu quien les había hecho la jugarreta a los fuegos fatuos, pues sabía cuánto les gustaba atraer a los viajeros y, después de conseguir el sombrero más alto y el abrigo más grave que pudo robar, había recurrido al señuelo capaz de hacerlos recorrer largas distancias. Ahora que los tenía reunidos a todos en tierra firme y obtenido la promesa de luz y ayuda contra los unicornios, que esas criaturas conceden fácilmente por causa del orgullo de esas magníficas bestias, empezó a conducirlos hacia la aldea de Erl, con lentitud en un principio mientras sus pies se acostumbraban a la dureza de la tierra; y por los campos los llevó con paso renco a Erl.

Y nada había ahora en todos los marjales que se asemejara al hombre y los gansos descendieron con un enorme tumulto de alas. El veloz y minúsculo cerceta, como un dardo, voló a su morada; y todo el aire oscuro vibró con el aleteo de los patos.

Capítulo XXX

SE PRODUCE EXCESO DE MAGIA

En Erl, que había suspirado por la magia, por cierto la había ahora. El palomar y las viejas leñeras sobre los establos estaban llenos de trasgos, los caminos colmados de sus piruetas y había luces que se agitaban de arriba a abajo en la calle por la noche mucho después que el tránsito hubiera desaparecido. Los fuegos fatuos iban a lo largo de los desagües y se habían aposentado en torno a los suaves bordes de los estanques de los patos y en los retazos verdinegros de musgo sobre el tejado más viejo. Y nada parecía lo mismo en la antigua aldea.

Y entre todos estos seres mágicos, la mitad mágica de la sangre de Orión, que había estado adormecida mientras estuvo entre hombres terrenos y escuchaba cada día charlas mundanas, se levantó de su sueño y despertó pensamientos durante mucho tiempo aletargados en su cerebro. Y los cuernos feéricos que con frecuencia había oído soplar al caer la tarde, sonaban ahora con una significación, y más fuerte, como si estuvieran más cerca.

La gente de la aldea, que observaba a su señor durante el día, vio que su mirada se dirigía al País de los Elfos y que descuidaba las saludables tareas terrenas; y por la noche se encendían luces extrañas y se oía el parloteo de los trasgos. Y el miedo cundió en Erl.

Por este tiempo volvió a reunirse el parlamento, doce hombres temblorosos de barba encanecida que habían ido a casa de Narl después de haber terminado su trabajo al caer la tarde; y la caída de la tarde se había vuelto misteriosa con la nueva magia llegada del País de los Elfos. Cada cual, al ir a la carrera de su casa abrigada a la herrería de Narl, había visto saltar las luces y oído el parloteo de las voces, que no provenían de tierra sacramental. Y algunos habían visto arrastrarse formas que no eran de suelo terreno, y temían que toda clase de criaturas se hubiera deslizado a través de la frontera del País de los Elfos para visitar a los trasgos.

Hablaban bajo en el parlamento: contaron, todos el mismo cuento, un cuento de niños aterrorizados, un cuento de mujeres que piden la vuelta de los viejos usos; y mientras hablaban, vigilaban ventanas y hendijas pues ninguno sabía qué podría entrar por ellas.

Y Oth dijo:

—Vayamos al encuentro del Señor Orión como fuimos al encuentro de su abuelo en el profundo salón rojo. Digámosle que quisimos magia y que ¡ay! la tenemos en demasía; y que ya no siga los pasos de la brujería ni de las criaturas que se le ocultan al hombre.

Se quedó escuchando con gran atención entre sus camaradas vecinos en silencio. ¿Era un diablillo que se burlaba de él o sólo un eco? ¿Quién podría saberlo? Y casi en seguida la noche en torno se acalló nuevamente.

Y Threl dijo:

—No. Es, demasiado tarde para eso. Threl había visto a su señor una tarde solo en los bajos, inmóvil y escuchando algo que sonaba en el País de los Elfos, con sus ojos vueltos hacia el este mientras escuchaba: y nada se oía, ni el menor ruido resonaba; sin embargo, Orión se estaba allí llamado por cosas que estaban más allá del oído humano. Ahora es demasiado tarde —dijo Threl.

Y eso se convirtió en el temor de todos.

Entonces Guhic se puso en pie lentamente junto a la mesa. Y los trasgos parlotearon como murciélagos en el ático, las pálidas luces de los marjales brillaban y formas extrañas se arrastraban en la oscuridad; el pit—pat de sus pies llegaba de vez en cuando a los oídos de los doce hombres reunidos en esa estancia interna. Y Guhic dijo:

—Tuvimos deseos de un poquillo de magia.

Y el parloteo de los trasgos les llegó claramente. Y entonces discutieron un buen rato cuánta magia habían deseado en los viejos tiempos cuando el abuelo de Orión era señor de Erl. Pero cuando lograron ponerse de acuerdo sobre la adopción de un plan, el plan adoptado fue el de Guhic.

—Si no podemos apartar a nuestro Señor Orión y a sus ojos del País de los Elfos —dijo—, que nuestro parlamento suba la colina al encuentro de la bruja Ziroonderel y le exponga nuestro caso; pidámosle un hechizo contra el exceso de magia.

Y al oír el nombre de Ziroonderel, los doce hombres cobraron nuevos ánimos; porque sabían que su magia era mayor que la de las luces estremecidas y sabían que no había trasgo ni criatura de la noche que no tuviera miedo de su escoba. Recobraron el ánimo, bebieron con abundancia el denso hidromiel de Narl, volvieron a llenar sus jarras y alabaron a Guhic.

Y tarde en la noche todos se pusieron en pie a una para regresar a sus hogares, se mantenían juntos al andar y cantaban graves viejas canciones para asustar a las criaturas que ellos temían; aunque poco se cuidan los ligeros trasgos o los fuegos fatuos de las cosas que son graves para el hombre. Y cuando sólo uno de ellos quedaba, se fue corriendo hasta su casa y los fuegos fatuos lo persiguieron.

Al día siguiente pusieron fin a su trabajo temprano, porque el parlamento de Erl no tenía deseos de encontrarse en la colina de la bruja cuando la noche llegara, ni el atardecer siquiera. Se encontraron a la puerta de la herrería de Narl temprano por la tarde, once de los miembros, y llamaron a Narl. Y todos vestían las ropas que solían vestir cuando iban juntos al sitio sagrado del Libertador, aunque apenas había un alma maldecida por el Libertador que ella no hubiera bendecido. Y empezaron la subida de la colina con ayuda de sus viejos y sólidos bastones.

Y llegaron a casa de la bruja tan de prisa como les fue posible. Y allí la encontraron sentada a la puerta y mirando el valle a lo lejos; no estaba ni más joven ni más vieja, ni parecía preocuparse por la ida y venida de los años de un modo u otro.

—Somos el parlamento de Erl —dijeron de pie ante ella vestidos con sus ropas más serias.

—Sí —dijo ella—. Deseabais magia. ¿La tenéis ya?

—Por cierto —respondieron ellos— y de sobra.

—Habrá aún más —dijo ella.

—Madre bruja —dijo Narl—, estamos aquí para rogarle que nos dé un buen hechizo que sirva de encantamiento contra la magia para que ya cese en el valle, pues nos ha llegado con exceso.

—¿Con exceso? —exclamó ella— ¡Magia en exceso! Como si la magia no fuera la sal y la esencia de la vida, su ornamento y su esplendor. Por mi escoba —dijo—, no os daré hechizos contra la magia.

Y ellos pensaron en las luces errantes, en las criaturas parloteantes, apenas divisadas y en toda la extrañeza y la malignidad llegadas a su valle de Erl, y le dirigieron de nuevo sus ruegos hablándole con suavidad.

—Oh, Madre Bruja —dijo Guhic— hay exceso de magia en verdad, y los que debieron quedarse en el País de los Elfos han cruzado la frontera.

—Así es, en efecto —dijo Narl—. La frontera se ha roto y ya no habrá modo de poner fin a la cosa. Los fuegos fatuos deben estar en los marjales y los trasgos y los duendes en el País de los Elfos, y nosotros atenernos a nuestra gente. Esto es lo que todos pensamos. Porque la magia, aunque la deseamos un tanto hace años cuando éramos jóvenes, es asunto que no corresponde al hombre.

Ella lo miró en silencio con un fulgor gatuno cada vez más intenso en los ojos. Y como no dijo nada ni hizo el menor movimiento, Narl le rogó nuevamente:

—Oh, Madre Bruja —dijo— ¿no nos dará un hechizo que proteja nuestras casas de la magia?

—¡Ningún hechizo, por cierto! —dijo sibilante— ¡Ninguno en absoluto! ¡Por la escoba y las estrellas y la cabalgata nocturna! ¿Le quitaríais a la Tierra la heredad que recibió de tiempos de antaño? ¿La despojaríais de su tesoro para dejarla desnuda y expuesta a la burla de los otros planetas? Pobres por cierto seríamos privados de la magia que hemos almacenado para envidia de la oscuridad y del Espacio. Se inclinó hacia adelante y dio con su bastón contra el suelo mirando la cara

de Narl con fieros ojos implacables. Antes os daría —dijo—
un hechizo contra el agua para que todo el mundo pereciera
de sed, que un hechizo contra la canción de las corrientes que
la tarde oye débilmente en lo alto de una colina, demasiado
ligera para oídos despiertos, una canción que se filtra en los
sueños y nos entera de las viejas guerras y los amores perdidos
de los Espíritus de los ríos. Os daría antes un hechizo contra
el pan para que todo el mundo muriera de hambre que un
hechizo contra la magia del trigo que frecuenta las hondonadas doradas a la luz de la luna en julio, por las que yerran
en las cálidas noches cortas muchos de los que el hombre
nada sabe. Os daría hechizos contra el albergue y el vestido,
la comida y el calor, sí, y lo haré antes de arrebatar a estos
pobres campos de la Tierra esa magia que es para ellos una
amplia capa contra el río del Espacio, y una gala gozosa
contra la mofa de la nada.

«Idos de aquí. A vuestra aldea, idos. Y vosotros que quisis-
teis la magia en vuestra juventud y que no la queréis ahora
en vuestra vejez, sabed que, hay una ceguera del espíritu que llega con la edad, más negra que la ceguera de los ojos,
que tiende una oscuridad en torno a través de la cual nada
puede verse, ni sentirse, ni conocerse, ni aprehenderse de
modo alguno. Y no hay voz que venga de esa oscuridad
que me convenza de conceder un hechizo contra la magia.
¡Idos!

Y cuando dijo «Idos», apoyó su peso sobre el bastón y
evidentemente se disponía a ponerse en pie. Y entonces un
gran terror ganó a todo el parlamento. Y advirtieron en el
mismo instante que caía la noche y que el valle se oscurecía.
En este campo elevado donde crecían las coles de la bruja, la
luz se demoraba todavía, y mientras escuchaban sus fieras

palabras, no se habían acordado de la hora. Pero era ahora evidente que estaba haciéndose tarde, y un viento sopló junto a ellos que parecía venir sobre unas lomas algo alejadas desde lo profundo de la noche; y los heló al pasar, y todo el aire parecía entregado a aquello precisamente en contra de lo cual habían ido en busca de un hechizo.

Y allí estaban a esa hora con la bruja por delante, y ella estaba evidentemente a punto de levantarse. Su mirada estaba fija en ellos. Ya había abandonado a medias su asiento. No cabía duda de que antes que una nada de tiempo transcurriera estaría cojeando entre ellos con su mirada refulgente en los ojos de cada cual. Se volvieron y se precipitaron corriendo colina abajo.

Capítulo XXXI

LA MALDICIÓN DE LAS CRIATURAS FEÉRICAS

Cuando el parlamento de Erl se precipitó colina abajo, se precipitó al encuentro del crepúsculo de la tarde. Gris se extendía por el valle sobre la niebla del río. Pero algo más había en el aire que el misterio del crepúsculo. Las luces que titilaban temprano en las ventanas demostraban que todo el mundo estaba en su casa, y todo lo que era humano había abandonado la calle; salvo cuando vieron a su Señor Orión silencioso y casi furtivo, con los fuegos fatuos por detrás, dirigirse a la casa de los trasgos, sumido en pensamientos que no eran terrenos. Y la extrañeza que día a día venía creciendo, daba a la aldea un aire espectral. De modo que con aliento corto y perturbado, los doce hombres siguieron avanzando de prisa.

Y así llegaron al sitio sagrado del Libertador, que se alzaba en el extremo de la aldea más próximo a la colina de la bruja. Y era la hora en que acostumbraba a celebrar el canto que sucede a las aves, como llamaban a lo que se canta en el sitio sagrado cuando ya todas las aves estaban en sus nidos. Pero el Libertador no se encontraba en su sitio sagrado; se encontraba en el frío aire de la noche a la puerta, vuelta la cara hacia el País de los Elfos. Tenía puesta la túnica sagrada orlada de púrpura y el emblema de oro en torno al cuello: pero la puerta del sitio sagrado estaba cerrada y él le daba la espalda. Se asombraron al verlo de esa manera.

Y mientras lo observaban, el Libertador empezó el salmo con voz clara en la tarde con la mirada dirigida hacia el este, donde ya se divisaban las primeras estrellas. Con la cabeza erguida, hablaba como si su voz pudiera atravesar la linde de crepúsculo y ser escuchada por los habitantes del País de los Elfos.

—Malditas sean todas las criaturas errantes —dijo— cuya morada no esté en la Tierra. Malditas sean todas las luces que habitan en helechos y en lugares cenagosos. Sus hogares se encuentran en las profundidades de los mariales. Que de modo alguno se muevan de allí en tanto no llegue el Último Día. Que se queden en su sitio a la espera de la condenación.

»Malditos sean los gnomos, los trasgos los elfos y los duendes en la tierra, y todos los espíritus de las aguas. Y los faunos sean malditos y los que van en pos de Pan. Y todos los que moran en los brezales fuera de las bestias y los hombres. Malditas sean las hadas y todos los cuentos que de ellas se cuentan, y lo que encante los prados antes de la salida del sol, y todas las fábulas de autoridad dudosa, y las leyendas que legan los hombres desde tiempos no consagrados.

»Malditas sean las escobas que abandonan su sitio junto al hogar. Malditas sean las brujas, y todo modo de brujería.

»Malditos sean los anillos de setas y todo lo que dentro de ellos baila. Y todas las luces extrañas, las canciones extrañas, las sombras extrañas o los rumores que a ellas se refieren, y todas las cosas dudosas del crepúsculo, y las cosas que temen los niños sin instrucción y los cuentos de viejas y lo que se hace en la Noches de San Juan; todas estas cosas sean malditas junto con lo que se inclina hacia el País de los Elfos y lo que viene de allí.

No había un sendero en la aldea, no había un cobertizo sobre el que no hubiera un fuego fatuo bailando ágilmente; la noche se doraba con su presencia. Pero mientras el buen Libertador hablaba, iban retrocediendo ante sus maldiciones como si un ligero viento los barriera, y danzaban nuevamente después de apartarse un tanto. Esto hacían tanto por delante como por detrás de él, y a ambos lados, mientras se estaba allí erguido en la grada de su sitio sagrado. De modo que había un círculo de oscuridad a su alrededor y más allá de ese círculo resplandecían las luces de los marjales y del País de los Elfos.

Y dentro del círculo oscuro en el que el Libertador lanzaba sus maldiciones no había criaturas sin sacramentar, ni la extrañeza que llega con la noche, ni susurros de voces desconocidas, ni música venida de lugares donde no habitan los hombres; todo era ordenado y decoroso allí y no había misterios que perturbaran la quietud salvo los que con justicia se les permite a los hombres.

Y más allá del círculo desde el que tantos seres habían sido espantados por la brillante vehemencia de las maldiciones del buen hombre los fuegos fatuos alborotaban, y múltiples rarezas venidas esa noche del País de los Elfos, y también los duendes celebraban una gran fiesta. Porque había circulado la nueva en el País de los Elfos que gente muy placentera tenía ahora su morada en Erl y muchas criaturas de la fábula, muchos monstruos del mito se habían deslizado a través de la linde de crepúsculo para ver lo que acontecía en Erl. Y los fuegos fatuos, frívolos y falsos aunque amistosos, bailaban en el aire encantado para darles la bienvenida.

Y no sólo los trasgos y los fuegos fatuos habían atraído a esa gente desde su tierra fabulosa a través de la frontera tan rara vez cruzada, sino también la nostalgia y los pensamientos de Orión que por la mitad de su linaje era pariente de las criaturas del mito y de la misma raza de los monstruos del País de los Elfos, la estaban llamando ahora. Desde aquel día junto a la frontera en que había vacilado entre la Tierra y el País de los Elfos, cada vez más echaba en falta a su madre; y ahora, lo quisiera o no, sus pensamientos feéricos llamaban a su parentela que moraba en los valles del País de los Elfos; y a la hora, en que el sonido de los cuernos atravesaba la linde de crepúsculo, había llegado tumultuosa junto con él. Porque los pensamientos feéricos son tan afines a las criaturas que habitan en el País de los Elfos, como los duendes lo son a los trasgos.

Dentro de la calma y la oscuridad procuradas por maldiciones del buen hombre, los doce ancianos escuchaban en silencio cada palabra. Y las palabras les parecían buenas, tranquilizantes y certeras, pues la magia ya los saturaba.

Pero más allá del círculo de oscuridad, en medio del fulgor de los fuegos fatuos que titilaban en la noche, en medio de la risa de los duendes y la desatada alegría de los trasgos en que las viejas leyendas parecían vivas y las más espantables fábulas verdaderas, en medio de toda clase de misterio, sonidos, formas y sombras extrañas, Orión se dirigía con sus perros hacia el este, al País de los Elfos.

Capítulo XXXII

LIRAZEL SIENTE NOSTALGIA POR LA TIERRA

En la estancia hecha de luz lunar, sueños, música y espejismos, Lirazel estaba arrodillada en el suelo resplandeciente ante el trono de su padre. Y la luz del trono mágico brillaba azul en sus ojos y sus ojos le devolvían un reflejo que profundizaba aún su magia. Y allí arrodillada le rogaba a su padre que le concediera una runa.

Los viejos días pasados no la dejaban en paz, dulces recuerdos la acosaban: los prados del País de los Elfos tenían su amor, prados en los que había jugado junto a viejas flores milagrosas antes de que historia alguna fuera escrita aquí, amaba a las dulces suaves criaturas del mito que se movían como sombras mágicas por el bosque guardián y las hierbas encantadas; amaba cada fábula, cada canción, cada hechizo que constituían su hogar feérico; y, sin embargo, las campanas de la Tierra que no podían traspasar la linde de silencio y de crepúsculo, resonaban nota por nota en su cerebro y su corazón sentía el crecimiento de las florecillas terrenas así que florecían o se marchitaban o dormían durante estaciones que no llegaban al País de los Elfos. Y en esas estaciones, desgastándose al paso que transcurrían, sabía que Alveric erraba, sabía que Orión vivía, crecía y cambiaba, y que ambos, si era cierta la leyenda de la Tierra, estarían perdidos para ella por siempre jamás cuando las puertas del Cielo se cerraran sobre ellos con un golpe dorado. Porque no hay sendero entre el País de los Elfos y el Cielo, no hay vuelo, no hay camino; y ninguno de ellos manda embajadores al otro. Sentía nostalgias por las campanas de la Tierra y las belloritas de Inglaterra, pero no abandonaría de nuevo a su poderoso padre ni al mundo que la mente de éste creara. Y Alveric no venía, ni tampoco su hijo Orión; sólo el sonido del cuerno de Alveric había venido una vez, y a menudo extraños anhelos parecían flotar en el aire que vanamente se debatían entre ella y Orión. Y los pilares resplandecientes que sostenían la bóveda de la techumbre se estremecían un tanto con el eco de su dolor; y las sombras de su pena se agitaban y se desvanecían en la profundidad cristalina de los muros enturbiando por un instante múltiples colores desconocidos en nuestros campos, pero sin quitarles belleza. ¿Qué podía hacer ella, que no quería renunciar a la magia ni al hogar que un día atemporal le había encarecido mientras los siglos se marchitaban como hojas en las costas de la Tierra y que, sin embargo, tenía el corazón sujeto por lazos de la Tierra que eran por cierto muy fuertes, muy fuertes en verdad?

Habrá quizá quien diga, traduciendo su amarga necesidad a implacables palabras terrenas, que pretendía estar en dos sitios a la vez. Y eso era verdad, pero los deseos imposibles, que no están lejos de la risa, eran para ella pura y exclusivamente cuestión de lágrimas. ¿Imposible? ¿Era imposible, es magia lo que tenemos por delante.

Rogaba a su padre que le concediera una runa, de rodillas sobre el suelo mágico en el mismo centro del País de los Elfos; y en torno a ella se levantaban los pilares de los que sólo puede hablarse en un canto, cuyo neblinoso volumen era perturbado por el dolor de Lirazel. Rogaba que se le concediera una runa que, desde donde estuvieren andando errantes por los campos de la Tierra, le devolviera a Alveric y Orión por sobre la linde, a las tierras feéricas para vivir en la edad atemporal que es en el País de los Elfos un único largo día. Y con ellos rogaba que vinieran (porque las poderosas runas de su padre aun eran capaces de cosas semejantes) algún jardín de la Tierra o una orilla donde crecen las violetas o una hondonada donde se mecen las belloritas, para brillar por siempre en el País de los Elfos.

Como ninguna música escuchada nunca en las ciudades de los hombres o soñada en las colinas de la Tierra, le contestó su padre con su voz feérica. Y las resonantes palabras eran tales que tenían el poder de cambiar la forma de las colinas de los sueños o echar a volar nuevas flores en la tierra de las hadas.

—No tengo runa —dijo— con el poder de traspasar la frontera o atraer nada de los campos mundanos, sean violetas, belloritas y hombres, a través de los bastiones de crepúsculo que he levantado para montar guardia contra las cosas materiales. No tengo runa, con excepción de una que es la última potencia de nuestro reino.

Y todavía arrodillada sobre el suelo resplandeciente de cuya translucidez sólo el canto puede hablar, le rogó que le concediera esa runa, aun cuando fuera la última potencia de las terribles maravillas del País de los Elfos.

Y él no quería prodigar esa runa que estaba bajo llave en las arcas de su tesoro, el más mágico de sus poderes y última de las tres, y la conservaba contra los peligros de un día distante y desconocido cuya luz brillaba detrás de una curva de las edades, en exceso lejana aun para la visión misteriosa de su conocimiento anticipado.

Ella sabía que había trasladado el País de los Elfos y lo había retirado como la luna retira las mareas, hasta que lo devolvió una vez más al filo mismo de los campos de los hombres, con la linde reluciente junto a los setos terrenos. Y sabía, qué no más que la luna había él recurrido a una maravilla extraña; nada más había hecho que se retirara con un mágico ademán. ¿No le era posible, pensaba ella, acercar más aún el País de los Elfos a la Tierra sin usar magia más extraña que la que usa la luna en las mareas?

Y así, pues, le suplicó una vez más, recordándole maravillas que había obrado sin hechizo más extraño que cierto movimiento del brazo. Le habló de las orquídeas mágicas que descendieron una vez como espuma rosácea sobre las Montañas Feéricas. Le habló de las raras flores malva que brotaron una vez entre las hierbas de los valles y de los gloriosos capullos que por siempre guardan los prados. Porque todas estás maravillas eran obra suya: el canto de los pájaros y el florecimiento de los capullos eran por igual fruto de su inspiración. Si maravillas como el canto y las flores se obraban con un ademán, por cierto con una señal podría atraer de la Tierra un corto trecho unos pocos jardines que se encontraban tan cerca del confín terreno. Sin duda podría acercar el País de los Elfos algo más a la Tierra, él que no hacía mucho lo había llevado hasta el giro del curso del cometa y vuelto a traer hasta el borde de los campos de los hombres.

—Nada, ni hechizo ni maravilla ni cosa mágica alguna —dijo él— podrá nunca acercar nuestro reino el espesor de un cabello al confín terreno ni traer aquí de allende la menor cosa, con excepción de una runa. E ignoran en esos campos que aun una runa puede lograrlo.

Pero todavía no podía ella creer que los habituales poderes mágicos de su progenitor no pudieran unir las cosas de la Tierra con las maravillas del País de los Elfos.

—En esos campos —dijo él— mis hechizos son derrotados, mis encantamientos permanecen mudos y mi brazo derecho resulta impotente.

Y cuando él le habló así de su terrible brazo derecho, ella tuvo por fuerza que creerle. Y le rogó entonces nuevamente que le concediera esa runa, por tanto tiempo atesorada en el País de los Elfos, esa potencia que tenía la fuerza de obrar contra el rotundo peso de la Tierra.

Y los pensamientos de él se dirigieron al futuro, solitarios, atisbando a lo lejos más allá de los años. De mejor grado habría abandonado su linterna un viajero en la noche por caminos solitarios que hubiera, utilizado este rey feérico su último gran hechizo, gastándolo así, y avanzando sin él al encuentro de esos años dudosos, cuyas formas oscuras veía y mucho de lo acontecido en ellos, pero no hasta el fin. Con facilidad, le había pedido ella ese terrible hechizo que daría satisfacción a su única necesidad, con facilidad podría él habérselo concedido si no fuera más que humano; pero su amplia sabiduría veía tanto de los años por venir, que temía enfrentarlos desprovisto de esta última gran potencia.

—Mas allá de nuestra linde —dijo— las cosas materiales se yerguen feroces, fuertes y plurales, y tienen el poder de aumentar y hacer cundir la oscuridad, porque también ellas son capaces de maravilla. Y cuando esta última runa se haya utilizado y acabado, no habrá en todo nuestro reino runa que ellas teman; y las cosas materiales se multiplicarán y someterán nuestros poderes; y nosotros, sin runa alguna que ellos teman con veneración, ya no seremos más que una fábula. Debemos, pues, conservar esta runa.

Así razonaba él con ella en lugar de emitir órdenes, aunque era el fundador y el rey de todas esas tierras, de todo lo que por ellas andaba y de la luz que en ellas brillaba. Y la razón no era en el País de los Elfos una cosa cotidiana, sino una maravilla exótica. Con ella trataba de apaciguar sus ansiedades terrenas.

Y Lirazel no dio respuesta alguna, sino sólo lloró derramando lágrimas de rocío encantado. Y toda la línea de las Montañas Feéricas se estremeció, como tiemblan los vientos errantes con las notas de un violín que ya más allá del oído se han perdido por las ondas del aire; y todas las criaturas de fábula que moran en el reino del País de los Elfos sintieron algo extraño en el corazón, como la agonía de una canción que ya se desvanece.

—¿No es lo mejor para el País de los Elfos que yo haga esto? —preguntó el rey.

Y ella aún no hizo más que seguir llorando.

Y entonces él suspiró y consideró una vez más el bienestar del País de los Elfos. Porque el País de los Elfos recibía su calma de ese palacio que se encontraba en su centro y del que sólo puede hablarse en un canto; y ahora sus agujas estaban perturbadas, deslucida la luz de sus muros y una pena se esparcía por sus puertas abovedadas por todos los prados de las hadas y los valles de ensueño. Si ella fuera feliz, el País de los Elfos podría complacerse una vez más en esa luz imperturbada y en la eterna calma cuya irradiación constituye una bendición para todo, salvo para las cosas materiales; y aunque los cofres de su tesoro se abrieran y se vaciaran ¿qué falta harían entonces?

De modo que emitió una orden y un cofre le fue traído por criaturas feéricas, y el caballero que había montado guardia por siempre junto a él, vino marchando detrás.

Abrió el cofre con un hechizo, porque no tenía llave que
lo abriera, y cogiendo de él un rollo de viejo pergamino, se
puso de pie y leyó lo que allí estaba escrito mientras su hija
lloraba. Y las palabras de la runa que leía eran como las notas
de una banda de violines ejecutados todos por maestros es-
codos de diversas edades, escondidos una medianoche de una
noche de San Juan en un bosque, con una extraña luna que
brillara y el aire lleno de locura y de misterio y acechando
cerca, más invisibles, criaturas que la sabiduría del hombre no
abarca.

Así leyó la runa, y los poderes oyeron y obedecieron, no
sólo en el País de los Elfos, sino por sobre los límites de la
Tierra.

Capítulo XXXIII

LA LÍNEA RESPLANDECIENTE

Alveric seguía errante, solo en ese pequeño grupo de tres,
sin esperanza que lo guiara. Porque Niv y Zend, que habían
sido guiados por la esperanza de su fantástica búsqueda, ya no
anhelaban llegar al País de los Elfos, sino que los guiaba ahora
el plan de mantener a Alveric apartado de él. Oscilaban más
lentamente que la gente sana, pero se atenían con mucho más
sano fervor a cada una de sus oscilaciones. Y Zend, que había
errado tantos años con la esperanza del país de los Elfos
por delante, ahora que había visto sus fronteras, lo tenía por
uno de los rivales de la luna. Niv, que tanto había soportado
por la búsqueda de Alveric. Veía en esa mágica tierra algo más
fabuloso que lo que había en todos sus sueños. Y ahora,

cuando Alveric intentaba engatusar débilmente a esas mentes rápidas y feroces, no recibía otra respuesta de Zend que la cortante declaración:

—No es esa la voluntad de la luna.

Mientras que Niv sólo le decía:

—¿No sueño yo lo bastante?

Volvían errantes pasando por aldeas que habían conocido su presencia años atrás. Con su vieja tienda gris más destrozada aparecían al atardecer, añadiendo un matiz al crepúsculo, campos donde ellos y la tienda se habían convertido en leyenda. Y nunca dejaba de ser vigilado por un par de ojos enloquecidos por temor de que huyera del campamento y llegara al País de los Elfos donde los sueños eran más extraños que los de Niv y regía un poder más mágico que el de la luna.

A menudo lo intentaba, arrastrándose de su sitio en lo más profundo de la noche. Por primera vez trató de hacerlo una noche de luna esperando despierto hasta que todo el mundo pareció dormir. Sabía que la linde no estaba lejos mientras se iba arrastrando de la tienda al encuentro de la brillantez de la noche y la negrura de las sombras, pasando junto a Niv que dormía profundamente. Avanzó algo más, y allí estaba Zend sentado todavía en una roca y mirando fijamente la cara de la luna. Giró la cara de Zend y, recién inspirado por la luna, lanzó un grito y de un salto estuvo junto a Alveric. Le habían quitado la espada. Y Niv se despertó y fue al encuentro de ellos presa de una furia inmensa, unido a Zend sólo por los celos; porque cada uno de ellos sabía que las maravillas del País de los Elfos eran más grandes que cualesquier fantasía que nunca pudieran concebir sus mentes.

Y una vez más lo intentó una noche en que no brillaba la luna. Pero esa noche era Niv quien estaba sentado fuera del campamento, deleitándose de modo extraño y sin alegría en cierta afinidad entre sus delirios y la oscuridad interestelar. Y allí, en la noche, vio a Alveric que se deslizaba hacia la tierra cuyas maravillas trascendían con mucho todos los pobres sueños de Niv; y toda la furia que los inferiores pueden experimentar por los superiores despertó sin vacilar en su mente; y, arrastrándose tras él, sin ayuda alguna de Zend, dejó a Alveric desmayado de un golpe.

Y nunca proyectó Alveric después de eso un plan de huida sin que los afanados pensamientos de la locura le previeran.

Y así avanzaron, vigilantes y vigilado, por los campos de los hombres. Y Alveric buscó ayuda en las gentes de las granjas; pero la astucia de Niv conocía muy bien los recursos de la cordura. De modo que cuando la gente acudía corriendo por los campos a esa extraña tienda gris de la que llegaban los gritos de Alveric, encontraban a Niv y Zend en una actitud serena que habían practicado mucho, mientras que Alveric les contaba de su contrariada búsqueda del País de los Elfos. Pues bien, muchos son los hombres que consideran loca cualquier búsqueda, como bien lo sabía el astuto Niv. De modo que Alveric no encontró allí ayuda alguna.

Mientras retrocedían por el camino en el que habían avanzado durante años, Niv conducía el grupo de tres, andando por delante de Alveric y Zend con la delgada cara en alto, que lucía todavía más delgada por los agudos extremos en que había hecho terminar su barba y sus bigotes después de cuidadoso entrenamiento, y llevando la espada de Alveric que le arrastraba larga por detrás y la empuñadura alta por delante. Y caminaba y levantaba la cabeza con un cierto aire que revelaba a los escasos viajeros del camino que aquella magra y andrajosa figura se consideraba el jefe de una banda más numerosa que lo que se advertía a simple vista. En verdad, si alguien lo hubiera visto al cabo de la tarde con el crepúsculo y la niebla de los pantanos a sus espaldas, podría haber creído que en el crepúsculo y la niebla avanzaba un ejército en pos, de este animoso y confiado hombre en andrajos. Si un ejército lo hubiera seguido, Niv habría estado cuerdo. Si el mundo hubiera aceptado que un ejército lo seguía cuando sólo Alveric y Zend seguían sus extravagantes pasos, igualmente habría estado cuerdo. Pero la solitaria fantasía sin hechos de qué alimentarse, ni una fantasía amiga que la acompañara era, por su mera soledad, locura.

Zend vigilaba a Alveric sin cesar mientras andaban en pos de Niv; porque los celos que ambos experimentaban de las maravillas del País de los Elfos unían a Niv y a Zend como si el mismo frenético impulso los animara.

Ahora bien, una mañana Niv se irguió al máximo de su magra altura, extendió cuanto pudo en lo alto el brazo derecho y se dirigió a su ejército:

—Nos acercamos de nuevo a Erl —dijo—. Y traeremos nuevas fantasías en reemplazo de viejas modalidades y usos en estancamiento; y sus costumbres seguirán en adelante la guía de los dictámenes de la luna.

Lo cierto es que a Niv no se le daba nada de la luna, pero era mucha su astucia y sabía que Zend lo ayudaría en su nuevo plan en contra de Erl aunque sólo fuera por la luna. Y Zend lanzó grandes aclamaciones hasta que los volvieron de una colina cercana, y Niv les sonrió como un señor que confía en su ejército. Y Alveric se alzó contra ellos entonces, y luchó con Niv y Zend por última vez, y supo que la edad o los viajes o la pérdida de las esperanzas le impedían esforzarse contra la fuerza maníaca de esos dos. Y en adelante anduvo con ellos más humilde, con resignación, sin cuidarse ya de lo que pudiera sucederle, vivo sólo en la memoria y sólo por los días que habían sido; y en las tardes de noviembre en este lóbrego campamento sumido en el frío, veía, remontando hacia atrás el curso de los años, otra vez el brillo de las mañanas de primavera sobre las torres de Erl. En la luz de estas mañanas, volvía a ver a Orión jugando con viejos juguetes que la bruja le había fabricado, con sus hechizos; volvía a ver a Lirazel avanzando una vez más por los hermosos jardines. Sin embargo, no hay luz de la memoria lo bastante fuerte como para que pudiera animar aquel campamento, en esas tardes sombrías, cuando la humedad se levantaba del suelo y el frío invadía el aire, y Niv y Zend, al paso que la oscuridad se espesaba, empezaban a trazar, con bajas voces ansiosas, planes tales como los que inspiran los caprichos que medran al atardecer en las tierras baldías. Sólo cuando el triste día había transcurrido ya por completo y Alveric dormía junto a los aleteantes girones de la tienda en la noche, podía entonces la memoria, que ya no estorbaban los afanosos cambios del día, devolverlo a Erl, brillante, dichoso y vernal; de modo que mientras su cuerpo yacía inmóvil en campos lejanos, en la oscuridad y el invierno, todo lo que estaba más activo y vivo en él volvía por las campiñas onduladas a Erl, de nuevo a la primavera con Lirazel y Orión.

Cuán lejos se encontraba corporalmente a pocas millas de su hogar, por el que sus felices pensamientos cada noche abandonaba su fatigado marco, Alveric no lo sabía. Habían transcurrido muchos años desde que su tienda había erguido una tarde una forma gris en ese paisaje en el que ahora ondeaban sus girones. Pero Niv sabía que últimamente se habían acercado a Erl, porque poco después de quedarse dormidos, soñaba con la aldea, y con ella volvía a soñar luego más tarde pasada la media noche y aun al llegar la mañana; y de ello deducía que poco más, era lo que tenían que avanzar. Cuando se lo confió en secreto una noche a Zend, éste lo escuchó gravemente, pero no emitió opinión alguna y sólo dijo:

—La luna lo sabe.

No obstante, siguió a Niv, quien conducía esta curiosa caravana siempre en la dirección desde donde más pronto le venían los sueños del valle de Erl. Y esta extraña conducción los aproximaba a Erl, como a menudo, sucede cuando los hombres siguen a conductores que son locos o ciegos o están equivocados; llegan a un puerto u otro aunque yerran extraviados sin prever demasiado. Si no fuera así ¿qué sería de nosotros?

Y un día la parte superior de las torres de Erl los miraban desde las distancias azules, brillando a la temprana luz del sol por sobre una curva de los bajos. Y hacia ellas giró Niv en seguida y hacia ellas los condujo en derechura, porque la línea de su marcha errante no había apuntado directamente a Erl, y avanzó como un conquistador que ve las puertas de alguna nueva ciudad. Cuáles fueran sus planes, Alveric lo ignoraba, pero siguió ateniéndose a su apatía; y Zend lo ignoraba porque Niv había dicho simplemente que sus planes debían ser secretos, también lo ignoraba Niv, pues sus fantasías le anegaban el cerebro para desaparecer en seguida. ¿Cómo comunicar hoy qué fantasías dictaban qué planes en un ánimo que era el de ayer?

Luego, al acercarse, llegaron al encuentro de un pastor entre sus ovejas que pastaban y apoyado en su cayado, que observaba y no parecía tener otro cuidado que observar todo lo que por allí pasaba o, cuando nada pasaba, contemplar y contemplar los bajos hasta que todas sus memorias asumieran la forma de las enormes curvas cubiertas de hierba. Se estaba allí, un hombre barbado, y los observó sin decir una palabra mientras pasaban a su lado. Y uno de los locos recuerdos de Niv lo reconoció de pronto, lo saludó Niv por su nombre y el pastor le respondió. ¡No era otro que Vand!

Todos se pusieron a hablar entonces; y Niv habló serenamente, como lo hacía siempre con la gente cuerda, imitando con hábiles ademanes las modalidades y los recursos de la cordura, por temor de que Alveric, pidiera auxilio en su contra. Pero Alveric no pidió ayuda alguna. Se mantuvo en silencio escuchando a los demás, pero sus pensamientos estaban lejos en el pasado y sus palabras no eran para él más que ruido. Y Vand les preguntó si habían encontrado el País de los Elfos. Pero se los preguntó como quien le pregunta a un niño si su barco de juguete ha estado en las islas Afortunadas. Durante muchos años se había dedicado a las ovejas y había llegado a tener conocimiento de sus necesidades y de su precio, y de la necesidad que tenían los hombres de ellas; y todas estas cosas imperceptiblemente habían levantado un cerco en torno de su imaginación y se convirtieron por fin en un muro más allá del cual nada veía. Cuando joven, sí, una vez, había buscado el País de los Elfos; pero ahora ¡vaya! ahora ya era mayor; esas cosas eran para los jóvenes.

—Pero vimos su frontera —dijo Zend—, la frontera de crepúsculo.

—Una neblina de la tarde —dijo Vand.

—He estado en el borde del País de los Elfos —dijo Zend.

Pero Vand se sonrió y sacudió su barbada cabeza mientras se apoyaba en su largo cayado, y cada ondulación de su barba sacudida lentamente, negaba lo que Zend contaba de esa frontera y sus labios la hacían evaporar con su sonrisa y en sus ojos graves había tolerancia por las creencias populares de los campos que conocemos.

—No, no del País de los Elfos —dijo.

Y Niv estuvo de acuerdo con Vand, porque, observaba su temple estudiando las modalidades de la cordura. Y hablaron del País de los Elfos con ligereza, como quien cuenta un sueño soñado al amanecer y desaparecido antes de despertar. Y Alveric escuchaba desesperado porque no sólo moraba Lirazel más allá de la linde, sino, como, bien lo veía ahora, más allá de la creencia de los hombres; de modo que, de pronto, le pareció más remota que nunca, y él, aún más solitario.

—Yo lo busqué una vez —dijo Vand—, pero no, no existe el País de los Elfos.

—No —dijo Niv, y Zend sólo dudaba.

—No —replicó Vand, y levantó la cabeza y miró a sus ovejas.

Y más allá de sus ovejas, avanzando hacia ellos, vio una línea resplandeciente. Tanto tiempo se mantuvieron sus ojos fijos en esa línea resplandeciente que avanzaba por los bajos desde el este, que los otros se volvieron y miraron. También ellos la vieron, una refulgente línea de plata, o algo azul, como el acero, que se estremecía y cambiaba con el reflejo de extraños colores pasajeros. Y por delante de ella, muy ligero como las brisas amenazantes delante de una tormenta, venía el suave sonido de canciones muy viejas. Mientras se estaban allí mirando, alcanzó a una de las ovejas de Vand, una de las más alejadas, e instantáneamente su vellón era del más puro oro, como el que se canta en los antiguos romances; y la línea resplandeciente siguió avanzando y las ovejas desaparecieron por completo. Vieron ahora que tenía la altura poco más o menos de la niebla que se alza de una pequeña corriente; y todavía Vand seguía mirándola, sin moverse ni pensar. Pero Niv se volvió muy pronto, le hizo una seña a Zend, cogió a Alveric por el brazo y se apresuró hacia Erl. La brillante línea, que parecía tropezar y vacilar ante toda irregularidad de los campos desnivelados, no avanzaba tan de prisa como ellos se apresuraban; pero no se detenía cuando ellos descansaban, nunca se fatigaba cuando ellos se cansaban, sino que proseguía su camino por sobre todas las colinas y los setos de la Tierra; tampoco la puesta de sol cambió su apariencia ni entorpeció su marcha.

Capítulo XXXIV

LA ÚLTIMA GRAN RUNA

Cuando Alveric volvía apresuradamente, conducido por los dos locos, a aquellas tierras de las que mucho tiempo atrás había sido señor, los cuernos del País de los Elfos habían sonado en Erl durante todo el día. Y aunque sólo Orión los oía, no por ello hacían estremecer menos el aire inundándolo con su curiosa música dorada y llenando el día de un asombro que los demás sentían; de modo que muchas jóvenes se asomaban por la ventana para ver qué era lo que encantaba la mañana. Pero a medida que el día avanzaba, el encantamiento de la música inaudible menguaba dando lugar a un sentimiento que pesaba sobre todas las almas de Erl y parecía pronosticar la inminencia de alguna desconocida región de maravilla. Toda su vida Orión había oído soplar esos cuernos al caer la tarde, con excepción de los días en que había cometido alguna falta: si oía los cuernos a la caída de la tarde, sabía que nada había de malo en él. Pero ahora habían soplado en la mañana, y soplado todo el día, como una fanfarria que conduce una marcha; y Orión miró por la ventana y no vio nada, y los cuernos soplaban todavía proclamando no sabía el qué. Lejos arrebataban sus pensamientos de las cosas de la Tierra que son las que conciernen a los hombres, lejos de todo lo que arroja sombras. No le habló a hombre alguno aquel día, sino que se movió entre tragos y otras criaturas feéricas que los habían seguido por sobre la frontera. Y todos los hombres que lo vieron, advirtieron una expresión en sus ojos que indicaba que sus pensamientos estaban distantes en las regiones que ellos temían. Y sus pensamientos estaban por cierto lejos de allí, una vez más con su madre. Y los de ésta estaban con él, prodigando la ternura que los años le habían negado en su veloz pasaje por nuestros campos que jamás ella había comprendido. Y de algún modo él sabía que ella estaba cerca.

Y durante toda esa extraña mañana los fuegos fatuos estuvieron inquietos y los trasgos saltaban frenéticos en torno a sus cobertizos porque los cuernos del País de los Elfos teñían el aire de magia y les excitaba la sangre aunque no eran capaces de oírlos. Pero a la caída de la tarde sintieron la inminencia de un gran cambio y todos quedaron silenciosos y graves. Y algo produjo en ellos la nostalgia de su distante patria mágica, como si una brisa les hubiera soplado de pronto en la cara desde los pequeños lagos entre las montañas del País de los Elfos: y recorrieron a la carrera la calle de un lado al otro en busca de algo mágico para consuelo de su soledad entre las cosas mundanas. Pero nada encontraron que se pareciera a los lirios nacidos por hechizo en el esplendor

de su gloria sobre los lagos feéricos. Y la gente de la aldea los
veía por todas partes y sentían nostalgias por la cordura de
los viejos días terrenos en los que la magia no había llegado a
Erl todavía. Y algunos acudieron de prisa a la casa del Libertador y se refugiaron con él, en medio de objetos sagrados, de
todas las formas no consagradas que se paseaban por la calle
y de toda la magia que teñía el aire y en él vibraba. Y él los
protegió con sus maldiciones, que alejaban a los fuegos fatuos
flotantes, ligeros y casi sin meta a una corta distancia y es-
pantaban a los trasgos que se alejaban un trecho para ponerse a hacer piruetas nuevamente. Y mientras el pequeño grupo se apiñaba alrededor del Libertador en busca de consuelo
de lo que estuviera amenazando que volvía más denso y más
lóbrego el aire a medida que avanzaba el breve día, otros
acudieron a Narl y a los afanados mayores para decirles:

—Ved en qué han ido a parar vuestros planes. Ved lo que
habéis provocado en vuestra aldea.

Y ninguno de los mayores dio una respuesta inmediata,
sino que dijeron que debían antes reunirse en consejo, pues
mucho era lo que confiaban en las palabras pronunciadas en
su parlamento. Y con este fin se reunieron otra vez en la herrería de Narl. Era ya el anochecer, pero el sol no se había
puesto todavía, ni había abandonado Narl su trabajo pero su
fuego empezaba a brillar con un color más profundo entre las
sombras que habían entrado en su herrería. Y los mayores
llegaron allí con paso lento y cara grave en parte por causa del
misterio que necesitaban para ocultar su locura de los aldeanos, en parte porque tan densa era la magia que flotaba ahora
en el aire que temían la inminencia de algún acontecimiento
portentoso. Se reunieron en parlamento en la estancia interior
mientras el sol bajaba y los cuernos feéricos que ellos igno-

raban, soplaban claros y triunfales. Y allí se quedaron sentados en silencio, pues ¿qué podrían decir? Habían deseado
magia y ahora la tenían. Los trasgos estaban en todas las calles, los duendes habían entrado en las casas y las noches con
la presencia de los fuegos fatuos: y una magia desconocida
volvía más denso el aire. ¿Qué podrían decir? Al cabo de un
rato Narl dijo que les hacía falta un nuevo plan; porque habían sido gente sencilla temerosa de las campanas, pero ahora
había criaturas mágicas sobre toda Erl, y más llegaban cada
noche desde el País de los Elfos para sumárseles de modo que
¿qué sería de los viejos usos a no ser que concibieran un
nuevo plan?

Y las palabras de Narl les dieron audacia, aunque sentían
la ominosa amenaza de los cuernos aunque no les era posible
oírlos, pues creían que eran capaces de trazar un plan en
contra de la magia. Y uno por uno se pusieron en pie para
hablar de un plan.

Pero al ponerse el sol las conversaciones cesaron. Y cierto
conocimiento hizo que su temor de que había algo inminente
en el aire aumentara aún. Oth y Threl, que habían tenido
familiaridad con el misterio en los bosques, fueron los primeros en saberlo. Todos sabían que algo estaba en camino.
Nadie sabía qué. Y todos se quedaron sentados en silencio,
intrigados a la caída de la tarde.

Lurulu fue el primero en verla. Había soñado todo el día
con los lagos del País de los Elfos que los helechos teñían
de verde, y, cansado de la Tierra, había subido solo a lo alto de
una torre del Castillo de Erl, se había acomodado en una al-
mena y mirado nostálgico en dirección de su morada. Y mirando por sobre los campos que conocemos, vio la línea resplandeciente que avanzaba sobre Erl. Y oyó que de ella se

elevaba quedo, así que venía ondulante por sobre los surcos, el murmullo de muchas viejas canciones; porque llegaba con toda clase de recuerdos, vieja música y voces perdidas, devolviendo a nuestros campos lo que el tiempo había barrido de la Tierra. Venía hacia él brillante como la Estrella de la Tarde y resplandeciente con súbitos colores, algunos comunes en la tierra, otros desconocidos por nuestro arco iris; de modo que Lurulu reconoció en ella sin vacilar a la frontera del País de los Elfos. Y todo su descaro le fue devuelto a la vista de su hogar fabuloso, y lanzó agudas carcajadas desde lo alto, que resonaron por sobre los tejados como el parloteo de pájaros que anidan. Y los pequeños trasgos nostálgicos en los castillos se sintieron reanimados al oír su sonora alegría, aunque no supieran de dónde provenía. Y ahora Orión oyó los cuernos que sonaban tan cerca y tan alto, y había en ellos una nota tan triunfal y una pompa, aunque no sin un dejo de nostalgia, que supo de inmediato por qué sonaban, supo que proclamaban la llegada de una princesa de linaje feérico, supo que su madre volvía a él.

En lo alto de su colina también Ziroonderel lo sabía, pues la magia se lo había hecho prever; y mirando hacia abajo, vio la línea estelar de atardeceres mezclados de viejas tardes estivales perdidas, que avanzaba por los campos hacia Erl. Casi se asombró al contemplar la línea resplandeciente que fluía sobre los pastizales terrenos, aunque su sabiduría le había dicho que debía venir. Y a un lado veía los campos que conocemos, lleno de las cosas acostumbradas, y al otro, mirando desde lo alto, vio, tras la frontera teñida de una miríada de colores, el follaje feérico profundamente verde y las flores mágicas del País de los Elfos, y cosas que no ven el delirio ni la inspiración en la Tierra; y las fabulosas criaturas del País de los Elfos que avanzaban en medio de cabriolas; y, andando por nuestros campos y trayendo el País de los Elfos consigo, con ambas manos algo tendidas por delante, de las que manaba el crepúsculo, estaba su señora, la Princesa Lirazel que volvía a su hogar. Y al ver esto y toda la extrañeza que venía por los campos, sea por causa de viejos recuerdos que llegaban con el crepúsculo o las canciones olvidadas que resonaban en el aire, una extraña alegría recorrió a Ziroonderel y, si las brujas lloran, lloró.

Y entonces, desde la ventanas altas de las casas, la gente empezó a ver esa línea resplandeciente que no era el crepúsculo terreno: la vieron brillar con su fulgor estelar y fluir luego hacia ellos. Lentamente venía, como si ondulara con dificultad sobre la rugosa superficie de la Tierra, aunque al trasladarse últimamente por las rectas tierras del ley de los Elfos, había sobrepasado en velocidad al cometa. Y apenas habían tenido tiempo de asombrarse ante su rareza, cuando se encontraron en medio de las cosas más familiares, pues los viejos recuerdos que iban flotando por delante, como el viento ante el trueno, bailaron con una súbita ráfaga sus corazones y sus casas y ¡he aquí que estaban viviendo una vez más entre cosas hace mucho tiempo pasadas y perdidas! Y así que esa línea de luz ultraterrena se acercaba, ante ella se oía un sonido como el de lluvia sobre las hojas, viejos suspiros otra vez suspirados viejos susurros del amor repetidos. Y esa gente que miraba en silencio por la ventana fue ganada por un ánimo nostálgico que remontaba con añoranza el tiempo, un ánimo como el que podría experimentarse junto a las hojas enormes de la romaza en viejos jardines de los que se han ido todos los que cuidaban sus rosas o amaban sus emparrados.

Todavía la línea de luces estelares y amores pasados no había bañado los muros de Erl ni salpicado sus casas pero estaba tan cerca ya que se desvanecían los cuidados cotidianos que mantienen a los hombres unidos en el presente, y sintieron el bálsamo de días pasados y las bendiciones impartidas por manos desde hace ya mucho. Los mayores corrían al encuentro de los niños que saltaban a la cuerda en la calle para llevarlos de vuelta a las casas sin decirles la causa por temor de asustar a sus hijas. Y la alarma en la cara de las madres por un momento sobresaltó a los niños: entonces algunos de ellos miraron hacia el este y vieron la línea resplandeciente.

—Viene del País de los Elfos —dijeron, y siguieron saltando.

Y los perros sabían, aunque qué es lo que sabían, no soy capaz de decirlo; pero alguna influencia les llegaba desde el País de los Elfos como la que llega desde la luna llena y, aullaban como aullan en las noches claras cuando los campos están inundados por la luz de la luna. Y los perros en la calle, que siempre vigilaban por temor de que algo extraño apareciera sabían ahora que una gran extrañeza estaba cerca de ellos, y lo proclamaban a todo el valle.

Ya el talabartero en su cabaña en el extremo de los campos, al mirar por la ventana para ver si su pozo se había congelado, vio una mañana de mayo de cincuenta años atrás y a su esposa que recogía lilas, porque el País de los Elfos había desalojado al Tiempo de su jardín.

Y los grajos habían abandonado las torres de Erl y volaban hacia el oeste, y el aullido de los perros de la jauría llenaban el aire, y el ladrido de los perros menores. Esto cesó de pronto y un gran silencio descendió sobre la aldea, como si hubiera habido una nevada de varias pulgadas de profundidad. Y a través del silencio llegó suavemente una extraña música antigua; y nadie hablaba en absoluto.

Entonces, Ziroonderel, que estaba sentada junto a su puerta con la barbilla apoyada en la mano mirando, vio que la línea resplandeciente tocaba las casas. Y se detenía fluyendo hacia adelante a cada lado, pero demorada por las casas, como si se hubiera topado con algo excesivamente fuerte para su magia; pero sólo por un momento las casas retuvieron esa maravillosa marca, porque irrumpió sobre ellas con una explosión de espuma ultraterrena, como un meteoro de un desconocido metal incandescente en el cielo, y avanzó y las casas se erguían extrañas, misteriosas y encantadas, como hogares que la súbita recuperación de una memoria heredada, evoca de un viejo pasado.

Y luego vio al muchacho, que ella había cuidado de niño, avanzar hacia el crepúsculo, atraído por un poder no menor que el que movía al País de los Elfos: se encontraba de nuevo con su madre en esa luz que inundaba a todo el valle de esplendor. Y Alveric estaba con ella, él y ella juntos, algo apartados de las criaturas fabulosas que la venían escoltando desde los valles de las Montañas Feéricas. Y Alveric se había despojado de la pesada carga de los años y del dolor del peregrinaje: también él había vuelto a los días que habían sido, junto con las viejas canciones y las voces perdidas. Y Ziroonderel no pudo ver las lágrimas de la princesa al encontrarse con Orión al cabo de toda esa separación de tiempo y espacio, aunque brillaban como estrellas, porque se encontraba en ese resplandor de luz estelar que lucía a su alrededor como la ancha faz de un planeta. Pero aunque la bruja no vio esto, claramente le llegaron a sus viejos oídos los sonidos de las canciones que volvían a nuestros campos desde los valles del País de los Elfos, donde habían estado tanto tiempo, las canciones perdidas desde la infancia en la Tierra. Se las oía ahora en torno al encuentro de Lirazel y Orión.

Y Niv y Zend tuvieron por fin descanso de sus fieras fantasías, pues sus frenéticos pensamientos se sumieron en reposo en la calma del País de los Elfos y durmieron como duermen los halcones en los árboles cuando el atardecer ha arrullado al mundo. Ziroonderel los vio juntos donde había estado el borde de los bajos algo apartados de Alveric. Y allí estaba Vand entre sus ovejas de oro, que masticaban los extraños zumos dulces de flores maravillosas.

Con todas estas maravillas llegó Lirazel a su hijo y trajo al País de los Elfos con ella, que no se había trasladado antes ni el ancho de una campánula por sobre el borde terreno. Y el lugar en que se encontraron era un viejo jardín de rosas bajo las torres de Erl, por donde otrora ella había andado y del que nadie se había cuidado desde entonces. Grandes arbustos había ahora en sus veredas, y aun ellos estaban marchitos por el rigor de fines de noviembre: sus tallos secos crepitaban al abrirse paso Orión entre ellos, y volvían bruscos y a su sitio en los senderos descuidados. Pero ante él florecían las rosas en toda su gloria y su belleza con la voluptuosidad del verano. Entre noviembre, que ella apartaba de sí con su llegada y la vieja estación de las rosas que devolvía a su jardín, se encontraron Urazel y Orión. Por un momento el jardín marchito yacía parduzco detrás de él, luego florecía refulgente, y la amena canción silvestre de los pájaros desde un centenar de árboles daban la bienvenida al regreso de las rosas. Y Orión había vuelto a la belleza y a la brillantez de los días cuyos sutiles matices acariciaba su memoria como el tesoro más caro de cuantos tiene el hombre; pero el cofre en que está guardado está cerrado y ya no tenemos la llave. Entonces el País de los Elfos se volcó sobre Erl.

Sólo el sitio consagrado del Libertador y el jardín que lo rodeaba seguían aún siendo de nuestra Tierra, una islita rodeada de maravilla, como el pico rocoso de una montaña, solo en el aire, cuando la niebla sube al atardecer de los valles de las tierras altas y deja sólo un pináculo que contempla oscuro las estrellas. Porque el sonido de su campana retiene la runa y el crepúsculo a una corta distancia alrededor. Allí vivía feliz y contento, no enteramente solo, entre sus objetos consagrados, porque unos pocos que habían sido aislados por la marca mágica se quedaron allí viviendo en la isla sagrada y lo servían. Y superó la edad corriente que alcanzan a vivir los hombres, pero no alcanzó a vivir los años de la magia.

Nadie cruzó nunca la linde salvo una, la bruja Ziroonderel, quien desde su colina, que se encontraba justo del lado terreno del borde, volaba en su escoba las noches estrelladas para visitar a su antigua señora, donde ésta vivía inmaculada por los años, junto con Alveric y Orión. De allí viene a veces, alta en la noche sobre su escoba, invisible (de todos los que moran en los campos terrenos, a no ser que uno alcance a notar que una estrella se oscurece tras otra un instante a su paso, y se sienta a la puerta de las cabañas donde cuenta cuentos extraños a todo aquel que quiera tener nuevas de las maravillas del País de los Elfos. ¡Que me sea dado volver a escucharla!

Y ya pronunciada la última de sus runas perturbadoras del mundo y viendo a su hija feliz una vez más, el rey feérico, en su magnífico trono, inspira y expira el aire en la calma en que se adormece el País de los Elfos y todos sus reinos soñaban en ese reposo atemporal que sólo pueden adivinar en el

verano los profundos estanques verdes y Erl soñó también
junto con el resto del País de los Elfos, y de ese modo fuera de
toda memoria de los hombres. Porque los doce reunidos en el
parlamento de Erl miraron por la ventana de ese cuarto interior en el que trazaban sus planes junto al yunque de Narl y,
al contemplar sus tierras familiares que ya no estaban en los
campos que conocemos.

ÍNDICE

• OTROS TÍTULOS DE ESTA COLECCIÓN •

• OTROS TÍTULOS DE ESTA COLECCIÓN •